Prüfungskurs
Deutsch

Prüfungskurs Deutsch

Mittelstufe II
Deutsch für Fortgeschrittene

Inge Hall

Verlag Moritz Diesterweg
Österreichischer Bundesverlag
Verlag Sauerländer

CIP-Kurztitelaufnahme der Deutschen Bibliothek

Hall, Inge:
Prüfungskurs Deutsch : Mittelstufe 2, Deutsch für Fortgeschrittene / Inge Hall. – Frankfurt am Main : Diesterweg; Wien : Österreichischer Bundesverlag für Unterricht, Wiss. u. Kunst; Aarau : Sauerländer

[Hauptbd.]. – 1. Aufl. – 1981
  ISBN 3-425-06102-X (Diesterweg)
  ISBN 3-215-04539-7 (Österr. Bundesverl.)
  ISBN 3-7941-2125-2 (Sauerländer)

Lösungsheft hierzu
Best. No. 6103

Bestellnummer: Diesterweg: 6102
                 Österr. Bundesverlag: 4539 7
                 Sauerländer: 6102

ISBN: 3-425-06102-X (Diesterweg)
           3-215-04539-7 (Österr. Bundesverlag)
           3-7941-2125-2 (Sauerländer)

1. Auflage 1981

Satz und Druck: Druckerei Georg Appl, Wemding
Bindearbeiten: Großbuchbinderei Monheim, Monheim

Anstelle eines Vorworts

Das Buch richtet sich an: ausländische Deutschlernende, die schon gut Deutsch können, und die in einem Kurs oder allein ihre Deutschkenntnisse erweitern wollen – und an ihre Lehrer.

Mit diesem Buch kann man sich auf folgende Prüfungen vorbereiten: Die „Sprachprüfung für ausländische Studienbewerber" an den Universitäten,
Das „Kleine" und das „Große Sprachdiplom" beim Goetheinstitut,
Die Abschlußprüfungen der Mittelstufen II beim Goetheinstitut und bei den Universitäten, und ähnliche Prüfungen.

Das finden Sie in diesem Buch: Texte und Aufgaben dem schriftlichen und mündlichen Teil der Prüfungen entsprechend, die Sie machen wollen.
Übungen, bei denen Sie viel sprechen können, so daß Sie sich besser und genauer ausdrücken lernen.
Übungen, die das gleiche Thema haben wie das Lesestück am Anfang des Textes.
Übungen, vor allem zur Wortschatzerweiterung, bei denen Sie sich nicht mit jedem Satz auf ein neues Thema einstellen müssen.
Abwechslung, auch weniger ernst Gemeintes – das Deutschlernen ist ja sowieso schon hart genug.
Provokatives, und einiges, das vielleicht zum Widerspruch reizt, so daß Sie auf einmal ganz ungehemmt Deutsch sprechen.
Mal Leichteres zur Erholung und Ermunterung, mal Schwierigeres, damit Sie sehen, daß Sie immer noch dazulernen müssen (oder können).
Texte, die über Deutschland informieren.

Was Sie in diesem Buch nicht finden: In jedem einzelnen Kapitel immer wieder die gleichen Übungen in der gleichen Reihenfolge.
Lange, unverständliche Grammatikregeln.
Das, was der Ausländer über seine eigene Heimat sowieso schon gelesen hat.
Texte, die nur Fachleute verstehen würden, oder die nur an eine bestimmte Lesergruppe gerichtet sind.

Die Garantie, daß Sie die oben genannten Prüfungen auf jeden Fall bestehen, auch wenn Sie z. B. nur die Lösungen lesen.

Texte zum Hörverständnis und Fragen zu längeren zusammenhängenden Texten (also etwa zu Romanen oder Dramen).

Worauf es mir ankommt: Daß Sie, wenn Sie dieses Buch gut durchgearbeitet haben, mit Zuversicht in die Prüfung gehen können.

Die Hauptleidtragenden bei dem Zustandekommen dieses Buches waren:

Mein Sohn Alekki, der über viele Stunden hinweg auf mich, sowie schließlich auf seine roten Filzstifte verzichten mußte, die ich ihm für die Korrekturarbeiten entwendete.

Mein Mann Mark, der mit einer Pedanterie sondergleichen an die Korrektur des ersten Entwurfs ging, an allem etwas auszusetzen hatte, und dann tatsächlich etliche nützliche Verbesserungsvorschläge machte.

Die Gruppe von Kursteilnehmern, vor allem Herr Sandor und Fräulein Anne Marie Le Bourguoc, die mich dazu breitschlugen, dieses Buch zu schreiben, sich dann viele Donnerstage lang noch zusätzlich zum Unterricht als Versuchskaninchen an den Texten und Übungen sowie an meinem harten Gebäck die Zähne ausbissen, und sich dafür mit mehreren guten Textvorschlägen revanchierten.

Kollegen bei den „Deutschkursen für Ausländer bei der Universität München", die alles noch einmal kritisch durchsahen. Ihnen und allen anderen vielen Dank!

Inge Hall

Inhaltsübersicht

In diesem Buch verwendete Abkürzungen und Zeichen

A / Akk.	Akkusativ
Akk. obj.	Akkusativobjekt
Abb.	Abbildungen
Adj.	Adjektiv
Adj.end.	Adjektivendung
Beding.	Bedingung
bzw.	beziehungsweise
D / Dat.	Dativ
Dat.obj.	Dativobjekt
d. h.	das heißt
etc.	et cetera
etw.	etwas
f	und die folgende Seite
ff	und die folgenden Seiten
Fut.	Futur
Geg. / ≠	Gegenteil
G / Gen.	Genitiv
Gen.obj	Genitivobjekt
gramm. Subj.	grammatikalisches Subjekt
Hrsg.	Herausgeber
HS	Hauptsatz
HV	Hauptverb
Indir. Fragesatz	Indirekter Fragesatz
Indir. Rede	Indirekte Rede
Inf.	Infinitiv
itr.	intransitiv
jd.	jemand
jdm.	jemandem
jdn.	jemanden
km/h	Kilometer pro Stunde
Komp.	Komparativ
Konj. I	Konjunktiv I
Konj. II	Konjunktiv II
Konj.endung	Konjunktivendung
MV	Modalverb
nachgest.	nachgestellt
neg.	negativ
N / Nom.	Nominativ
Nr.	Nummer
NS.	Nebensatz
o. ä.	oder ähnliches
Obj.	Objekt
(P)	Person
(P/S)	Person oder Sache
Part. Perf.	Partizip Perfekt
Part. Präs.	Partizip Präsens
Pass.	Passiv
Pass.ers.	Passiversatz
Perf.	Perfekt
Pers.	Person
Pers.pron.	Personalpronomen
Pl	Plural
Plusqu.	Plusquamperfekt
Prädikatsobj.	Prädikatsobjekt
Präp.	Präposition
Präp.angabe	Präpositionalangabe
präp. Ausdruck	präpositionaler Ausdruck
Präp.obj.	Präpositionalobjekt
Präs.	Präsens
Prät.	Präteritum (= Imperfekt)
Pron.	Pronomen
Refl.pron.	Reflexivpronomen
Rel.satz	Relativsatz
Rel.pron.	Relativpronomen
(S)	Sache
S.	Seite
Sg	Singular
sog.	sogenannt
s. o.	siehe oben
s. u.	siehe unten
Subj.	Subjekt
Subst.	Substantiv
temp. S.	temporaler Satz
temp. NS	temporaler Nebensatz
tr.	transitiv
u. ä.	und ähnliches
ugs.	umgangssprachlich

urspr.	ursprünglich	$\neq$	das Gegenteil
u. s. w.	und so weiter	$\approx$	ungefähr
vergl.	vergleiche	$\rightarrow$	daraus wird
vorgest.	vorgestellt	$A \rightleftharpoons B$	umformbar (von A
z. B.	zum Beispiel		nach B und umge-
Z	Zeile		kehrt)
=	bleibt gleich, bedeutet	}	Alternativen
	das Gleiche	$\triangleq$	formgleich
+	und, mit		

Kapitel 1

Lesetext 1

Traurige Happy-Ends

Daß es nur wenige gute deutsche Komödien gibt, ist ein oft beklagter Mangel. „Es fehlt uns", meint einer von E. T. A. Hoffmanns Serapionsbrüdern[1], „am Lustspiel hauptsächlich deshalb, weil es uns an der Lust fehlt, die mit sich selbst spielt, und an dem Sinn dafür." Um mit sich selbst spielen zu können, bedarf es eines sicheren, ausgewogenen Selbstbewußtseins. Daß dies als öffentliche Eigenschaft unter 5 den Deutschen weniger denn anderswo verbreitet ist, hängt mit der Geschichte Deutschlands als einer Nation ohne Zentrum, politische Stabilität und gemeinschaftliche Tradition zusammen. Die Komödie jedoch braucht zu ihrer Wirkung Gemeinsamkeit, vor allem vereinigtes Lachen, das aber ausbleibt, wenn es keinen Konsensus darüber gibt, was eigentlich lächerlich ist. 10
Natürlich gibt es einige bedeutende deutsche Lustspiele, aber keinen eigentlichen Lustspieldichter von Rang[2]. Die besten Komödien hierzulande sind eine Art Nebenprodukt von Dramatikern, die vorwiegend ernsteren Themen zugetan sind: Lessings „Minna von Barnhelm", Kleists „Zerbrochener Krug", Büchners „Leonce und Lena", Hauptmanns „Biberpelz" oder schließlich Brechts „Puntila" sind die 15 kanonischen Beispiele dafür. Und selbst diese Stücke erzeugen nicht schlechterdings nur ausgelassene Lust am Spiel; ihr schwerer Kern wird durch die leichte Schale oft deutlich genug spürbar.
Daß die Komödie ein ideales Instrument gesellschaftlicher Kritik sein kann, liegt auf der Hand, aber es fällt auf, daß es den Dichtern nicht um Sozialkritik allein 20 ging. Gerade bei dem Verhältnis, das die deutsche Komödie zu ihren so ganz verschiedenartig zusammengesetzten Leser- und Zuschauerkreisen immer gehabt hat, ist feinste Differenzierung ein bedeutender Gewinn. In seinem Aufsatz über Horváth[3] spricht Helmut Arntzen allgemein von den „falschen und traurigen Happy-Ends", die in der Tat für das deutsche Lustspiel besonders charakteristisch 25 sind und die vielleicht so etwas wie die richtigen oder glücklicheren Schlüsse „einmahnen".

Gekürzt und geändert nach Gerhard Schulz, Frankfurter Allgemeine Zeitung, 25. Februar 1978.
1 E. T. A. Hoffmann (1776–1822), Die Serapionsbrüder, Novellensammlung.
2 wie z. B. Aristophanes, Shakespeare, Molière, Goldoni, Lope de Vega, Oskar Wilde.
3 Ödön von Horváth (1901–1938), Romane und Dramen, z. B. Geschichten aus dem Wiener Wald.

Wortschatz

Zeile	Neuer Ausdruck Beispiel, bzw. etwas zur Wortfamilie	Erklärung des neuen Ausdrucks Erklärung des Beispiels
5	ausgewogenes Selbstbewußtsein wiegen	Ausgeglichenheit und Selbstsicherheit mit einer Waage das Gewicht fest- stellen
5	die Eigenschaft Er ist ehrlich, diese Eigenschaft schätze ich an ihm.	das Charaktermerkmal, die Wesensart, die Beschaffenheit
9	vereinigt vereinen Es waren wieder alle vereint. Die Vereinigung der beiden Firmen. der Fußballverein	gemeinsam, verbunden, zusammen aus mehrerem eins machen; zusam- menkommen Aus den beiden Firmen wird eine einzige.
12	Dichter von Rang = von hohem Rang ein Sitzplatz im ersten Rang ein drittrangiges Restaurant	berühmte, bedeutende Dichter im Theater, in einer der ersten Etagen im Zuschauerraum ein schlechtes Restaurant
13	vorwiegend In diese Diskothek gehen vorwiegend junge Leute.	überwiegend; das, was im Übergewicht ist, in der Mehrzahl ist
13	zugetan sein + Dat. Der Junge ist seiner Tante sehr zugetan.	bevorzugen, gern haben, mögen
16	nicht schlechterdings nur Es ist mir schlechterdings unmöglich, diese Arbeit auch noch zu erledigen.	durchaus nicht nur Es geht wirklich nicht, daß ich diese Arbeit auch noch mache.
17	ausgelassen Die Kinder waren ganz ausgelassen.	freigelassen, ungezwungen, fröhlich, gut gelaunt Die Kinder spielten wild und über- mütig.
27	einmahnen Das Finanzamt mahnte die Steuer- schuld ein.	Das Finanzamt verlangte, daß die Steuerschuld bezahlt werde.

2

Übungen

Beantworten Sie folgende Fragen zum Text: **1**

1. Was hat möglicherweise dazu geführt, daß ein sicheres, ausgewogenes Selbstbewußtsein nicht unbedingt zu den „typisch deutschen Eigenschaften" gehört?
2. Wovon ist die Wirkung der Komödie abhängig?
3. Wenn es in Deutschland keine eigentlichen Lustspieldichter von Rang gibt, welcher Kategorie von Dichtern kann man die Verfasser der klassischen deutschen Komödien zurechnen?
4. Welche Themen bevorzugen denn die deutschen Dramendichter in erster Linie?
5. Sind die bedeutenden deutschen Lustspiele nur „lustig"?
6. Besteht ein Zusammenhang zwischen der Eigenart deutscher Lustspiele und der ihres Publikums?
7. Was ist für den Schluß vieler deutscher Lustspiele typisch?

Die folgenden unvollständigen Sätze sind Erklärungen und Umformungen einzel-   **2**
ner Sätze, Wortgruppen und Wendungen aus dem Text. Ergänzen Sie sinngemäß!
Satz a) und b) sind jeweils etwa bedeutungsgleich:

Beispiel: Daß es nur wenige gute deutsche Komödien gibt, ist ein oft beklagter Mangel.
   a) „Es fehlt......................," wird .... Bedauern festgestellt.
   b) .... empfindet .... immer wieder als ...., daß die Deutschen ....

Lösung zu: a) „Es fehlt *uns an guten deutschen Komödien*", wird *oft mit* Bedauern festgestellt.
   Zu: b) *Man* empfindet *es* immer wieder als *bedauerlich*, daß die Deutschen so wenig gute Komödien haben (oder: *geschrieben haben*).

1. „Es fehlt uns am Lustspiel hauptsächlich deshalb, weil es uns an der Lust fehlt, die mit sich selbst spielt, und an dem Sinn dafür."
   Der Grund ..... d... Mangel .... ist darin .... ,
   daß wir .... Spaß da.... und .... Sinn da............. , mit ......
   selbst ....
2. Dazu bedarf es eines sicheren ausgewogenen Selbstbewußtseins.
   a) Dazu .... man ....
   b) Voraussetzung da......................................
3. Das vereinigte Lachen bleibt aus, wenn es keinen Konsensus darüber gibt, was eigentlich lächerlich ist.
   a) Wenn man .... , was man .... , kommt es auch nicht ....
   b) Man .... gemeinsam .... , wenn nicht alle .... finden.

3

4. Die besten Komödien hierzulande sind eine Art Nebenprodukt von Dramatikern, die vorwiegend ernsteren Themen zugetan sind.
   a) Bei den .... handelt .... von Dramatikern, die sich ....
   b) Die besten .... Komödien .... eine Art Nebenprodukt entstanden; ihre Verfasser .... an sich .... geschrieben.
5. Ihr schwerer Kern wird durch die leichte Schale oft deutlich genug spürbar.
   a) Unter der .... ihren schweren Kern
   ....
   b) Nicht selten merkt man genau, daß ....
   ....
6. Daß die Komödie ein ideales Instrument gesellschaftlicher Kritik sein kann, liegt auf der Hand.
   a) Es ist ...., daß..... die Komödie .... betrachten ....
   b) Durch .... kann man .... Schwächen ..... Gesellschaft besonders ....
7. Es ging den Dichtern nicht um Sozialkritik allein.
   a) Nicht Sozialkritik allein .... das Anliegen ....
   b) Die Dichter .... nicht nur .... sein.
8. Feinste Differenzierung ist ein bedeutender Gewinn.
   Es ist von größter Bedeutung, ...
9. Die „falschen und traurigen Happy-Ends" sind für das deutsche Lustspiel besonders charakteristisch.
   a) Ein besonders typisches .... sind die ....
   b) Es fällt auf, ... oft „falsch und traurig" ....

3 Vervollständigen Sie die Sätze sinngemäß:

Beispiel: Weil die Leser- und Zuschauergruppen in Deutschland nicht homogen waren, ...
             Weil die Leser- und Zuschauergruppen in Deutschland nicht homogen waren, *konnten die Dramatiker eigentlich nicht damit rechnen, daß alle über das gleiche lachen würden.* (o. ö.)

1. Mangel an gemeinschaftlicher Tradition und politischer Stabilität sind mit ein Grund dafür, daß ......
2. Es gibt natürlich bedeutende deutsche Lustspiele, aber ......
3. Die Verfasser der besten deutschen Komödien wollten nicht einfach nur Heiterkeit erzeugen, ...
4. Ein besonderes Problem für den Dichter deutscher Lustspiele ist, daß .....
5. Bei den Schlüssen der deutschen Komödien fällt auf, ...

4 Beantworten Sie ausführlich folgende Fragen zur Thematik des Textes:

1. Warum gibt es so wenige gute deutsche Komödien? Nennen Sie außer den im Text erwähnten Gründen noch andere.

2. In Deutschland zählt man viele Komödien (z. B. von Kurt Goetz und Nestroy) zur sogenannten leichten Unterhaltungsliteratur und meint das in abwertendem Sinn. Ist das typisch deutsch?
3. Ein sehr bekanntes Beispiel für die Gattung der Tragikomödie ist Dürrenmatts „Besuch der alten Dame"; diese Gattung ist geradezu charakteristisch für die moderne deutschsprachige Dramenkunst. Wie würden Sie diese Art der Komödie beschreiben? Kennen Sie andere Komödien dieser Art?
4. Worüber lacht man? Können Sie Beispiele geben aus der Literatur, aus Filmen und Anekdoten Ihres Landes und aus deutschen Lustspielen? Schreiben Sie zu Hause einige solcher Beispiele stichwortartig auf.

Zur Grammatik

Zeile 21 f:
„*ganz verschiedenartig zusammengesetzte* Leser- und Zuschauerkreise"
Leser- und Zuschauerkreise, *die ganz verschiedenartig zusammengesetzt sind*

Partizipialkonstruktionen	⇌ **Relativsätze**
A) **Part. Präs.**	
Er trinkt einen den Kreislauf *anregenden* Tee...	Er trinkt einen Tee, *der* den Kreislauf *anregt*.
I) Form: Inf. + −d (+Adj. end.)	
II) Gebrauch (und Bedeutung):	
gleichzeitig und/oder aktivisch und/oder noch andauernd	Er *trinkt* ..., der ... *anregt* der Tee regt den Kreislauf an
der gerade abfahrende Zug ...	der Zug, der gerade abfährt
B) **Part. Perf.**	
Er trinkt den frisch *zubereiteten* Tee. ...	Er trinkt den Tee, den er frisch zubereitet hat. der frisch zubereitet wurde. der frisch zubereitet ist.
I) Form: (-ge-) ... $\begin{array}{c}\text{-en}\\\text{-(e)t}\end{array}$ +(Adj. end.)	
II) Gebrauch (und Bedeutung):	
vorzeitig und/oder passivisch und/oder schon abgeschlossen	Er *trinkt* ..., den er *zubereitet hat* den Tee, *den* er zubereitet hat *der* zubereitet *wurde der* zubereitet *ist*
der gerade angekommene Zug ...	der Zug, der gerade angekommen ist

5

„**Methode**": Wann Part. *Präs.*?
Wann Part. *Perf.*?

A) 1. Dauert es noch an? . . . . .Part. Präs.

2. „Macht" das Subst. etwas selbst? .Part. Präs.

B) 1. Ist es schon fertig? . . . . .Part. Perf.

2. Wurde mit dem Subst. etw. „gemacht"? . . . . .Part. Perf.

5 Setzen Sie das Partizip in der richtigen Form ein:

1. die . . . . Mannschaft (schlagen)
2. das . . . . Examen (bestehen)
3. ein . . . . Sommertag (strahlen)
4. ein . . . . Wagen (brauchen)
5. eine . . . . Antwort (überraschen)
6. das . . . . Kind (schreien)
7. die . . . . Wette (gewinnen)
8. das . . . . Brot (abschneiden)
9. die . . . . Pferde (galloppieren)
10. ein . . . . Wort (verletzen)
11. ein . . . . Sportler (verletzen)
12. das . . . . Fleisch (verderben)
13. mein . . . . Handschuh (verlieren)
14. . . . . Hunde (bellen)

6

Ergänzung und Reflexivpronomen

---

         ganz verschiedenartig zusammengesetzte Leserkreise
         Ergänzung   Partizip
Leserkreise, die —— *ganz verschiedenartig* zusammengesetzt sind
Leserkreise, die *sich* ganz verschiedenartig zusammensetzen
      Fehler, die *sich* ständig wiederholen
           sich ständig wiederholende Fehler

Regeln:
A) *Ergänzungen* bleiben *vor dem Partizip*
B) *Reflexivpronomen:* Part. *Perf.* **ohne** „sich"
                 Part. *Präs.* **mit** „sich"

Formen Sie die Partizipialkonstruktionen in Nebensätze um: **6**

1. die hier vorkommenden Rohstoffe → Die Rohstoffe, die ...
2. die umgestaltete Parkanlage
3. der laut rufende Junge
4. sich häufig widersprechende Aussagen
5. aus Brasilien importierte Bananen
6. das an der Tür angeschlagene Plakat
7. ständig steigende Kosten
8. frei erfundene Geschichten
9. eine verzögerte Abreise
10. im Dampftopf gekochtes Gemüse

Bilden Sie aus den Relativsätzen Partizipialkonstruktionen: **7**

„Methode": Relativsatz → Partizipialkonstruktion

---

1. Relativpronomen ....: fällt weg!
2. Subj. des Rel.satzes ...: fällt weg!
                      oder: von + Dat. (Part. Perf.!)
3. Hilfsverben ....: fallen weg!
4. Hauptverb ....: Part. Präs. oder
                      Part. Perf.?
5. Ergänzung und Part. + Adj.endung *vor* das Subst.

           1. 2.   4.   3.
z. B.: die Arbeit, die er *heute früh* übernommen hat.
    die *heute früh* (von ihm) übernommene Arbeit
       5.   2.   4.   5.

1. der Anzug, den er sich geliehen hat → Der .... Anzug
2. Kleidung, die von Jugendlichen bevorzugt wird
3. der Versuch, der mißlungen ist
4. die Vögel, die im Herbst in den Süden ziehen
5. ein Erscheinungsbild, das sich immer wieder erneuert
6. Lehrer, die Referendare ausbilden
7. die Sonne, die langsam im Meer versinkt
8. das Schiff, das in der Nordsee gesunken ist
9. Gruppen, die sich unterschiedlich gebildet haben
10. das Stipendium, das er vor drei Monaten beantragt hat

8 Formen Sie die Partizipialkonstruktionen in Nebensätze um und umgekehrt:

Beispiele: Die *nun schon drei* Tage *anhaltenden* Kopfschmerzen machen mir sehr zu schaffen.

Part. →Rel.satz: Die Kopfschmerzen, *die nun schon drei Tage anhalten,* machen mir sehr zu schaffen.

Das Mittel, *das mir ein Freund empfahl,* half nichts.

Rel.satz →Part.: Das *mir von einem Freund empfohlene* Mittel half nichts.

1. Der *erst vor kurzem gepflanzte* Baum ist eingegangen. 2. Der Briefträger fährt im Winter sogar auf Straßen, *die vereist sind,* mit dem Fahrrad. 3. Die beiden Hunde, *die er neu gekauft hat,* haben seine Pantoffeln zerrissen. 4. Die Suppe, *die kalt geworden war,* sah unappetitlich aus. 5. Die *von den Ärzten vorgeschlagene* Behandlung war sehr kostspielig. 6. Der *von den Veranstaltern nur ungenügend vorbereitete* Diskussionsabend war dann doch ein Erfolg. 7. Wir besuchten in der Stadt eins der letzten Wirtshäuser, *die noch im alten Zustand erhalten sind.* 8. Bei den Texten, *die die historischen Zusammenhänge erläutern,* handelt es sich um eine der letzten *von Jacob Burckhardt vor seinem Tod geschriebenen* Arbeiten. 9. Die Aussicht, *die sich den Touristen bot,* war alles andere als schön. 10. Die *aus malerischen, in schönen Landstrichen gelegenen Dörfern zusammengekommenen Besucher,* fanden die Stadt enttäuschend häßlich.

Lesetext 2

Das weite Land   *von Arthur Schnitzler*
(Auszug aus der Tragikomödie)

Friedrich: Bist du abergläubisch, Mauer?

Mauer: Warum denn?

Friedrich: Na, ich hab' gedacht, vielleicht willst du nicht im Fremdenzimmer schla-
fen, weil der arme Korsakow vor acht Tagen oben übernachtet hat. Aber ich
glaube nicht, daß die Toten schon in der ersten Nacht Ausgang kriegen zum 5
Erscheinen.

Mauer: Wenn man dich so reden hört ...!

Friedrich (plötzlich ernst): Kinder, es ist doch scheußlich! Vor acht Tagen hat er da
oben geschlafen, und am Abend vorher hat er noch Klavier gespielt da drin –
Chopin – cis moll-Nocturno – und was von Schumann –, und da auf der Veranda 10
sind wir gesessen, der Otto war auch dabei und das Natternpaar, – wer von uns
hätte sich das träumen lassen! – Wenn man nur eine Ahnung hätte, warum? Na,
Genia, – hat er dir auch nichts g'sagt?

Genia: Mir? ...

Friedrich (ohne Genias Haltung Bedeutung beizulegen): Plötzliche Sinnesverwir- 15
rung, sagen die Leute. Aber es soll uns erst einer sagen, was das heißt: Plötzliche Sinnesverwirrung. Na, Mauer, möchtest du mir's vielleicht erklären?

Mauer: Erstens bin ich kein Psychiater – und zweitens wunder' ich mich nie, wenn
sich wer umbringt. Wir sind alle so oft nahe daran. Ich hab' mich einmal umbringen wollen, mit vierzehn Jahren, weil mich ein Professor ins Klassenbuch ge- 20
schrieben hat.

Friedrich: In einem solchen Falle hätt' ich lieber den Professor umgebracht ... Nur
wäre ich dann ein Massenmörder geworden.

Mauer: Ich bitt' dich, ein Künstler! Die sind alle mehr oder weniger anormal. Schon
daß sie sich so wichtig nehmen. Der Ehrgeiz an und für sich ist ja eine Geistes- 25
störung. Dieses Spekulieren auf die Unsterblichkeit! Und die reproduzierenden
Künstler, die haben's gar schlecht. Sie mögen so groß sein, wie sie wollen, es
bleibt doch nichts übrig als der Name und nichts von dem, was sie geleistet
haben. Ich glaub' schon, daß einen das verrückt machen kann.

Friedrich: Aber was redst denn! Du hast ihn ja nicht gekannt. Ihr habt ihn ja alle 30
nicht gekannt. Ehrgeiz ... Der? – Dazu war er ja viel zu gescheit! Zu philoso-
phisch könnt' man sagen. Die Klavierspielerei war ihm in Wirklichkeit Nebensa-
che. Habt ihr denn eine Ahnung, für was alles der sich interessiert hat? Den Kant
und den Schopenhauer und den Nietzsche hat er im kleinen Finger gehabt, und
den Marx und den Proudhon gleichfalls. Es war ja fabelhaft. Ich weiß schon, wen 35
ich mir aussuch' zum Konversieren ... Und dabei täglich sechs Stunden üben!
Wo er nur die Zeit zu dem allen hergenommen hat? – Und siebenundzwanzig
Jahre! Und bringt sich um. Herr Gott, was hat so ein Kerl noch alles vor sich
gehabt. Jung und berühmt, ganz hübsch obendrein – und schießt sich tot. Wenn
das ein alter Esel tut, dem das Leben nichts mehr bieten kann ... Aber grad die 40

... Na. – Und noch am Abend vorher sitzt man zusammen mit so einem Menschen, beim Nachtmahl – und spielt Billard mit ihm ... Was ist denn, Genia? Was ist denn da zum Lachen?

Genia: Ich hab' die Geschichte eben der Frau Wahl erzählt. Sie hat sich sofort
45 erkundigt, wo die Zigarren hingekommen sind, die du ihm am nächsten Tag geschickt hast.

Friedrich: Ha! ... Die ist doch unbezahlbar. (Nimmt eine Zigarre heraus, offeriert dem Mauer) Du bist ja nicht abergläubisch. Ich rauch' grad auch eine. Der Franz hat sie mir natürlich zurückgebracht.

aus: Schnitzler, Das weite Land, in: Gesammelte Werke. Die Dramatischen Werke, Bd. 2 © 1962 S. Fischer Verlag GmbH, Frankfurt am Main.

Übungen

9 Erklären Sie folgende Ausdrücke nach ihrer Bedeutung im Text, wenn nötig durch ein Beispiel:

1. abergläubisch (Z. 1) 2. Ausgang kriegen (Z. 5) 3. Wer von uns hätte sich das träumen lassen! (Z. 11) 4. ins Klassenbuch schreiben (Z. 20) 5. reproduzierender Künstler (Z. 26) 6. Es war ja fabelhaft (Z. 35) 7. Die ist doch unbezahlbar (Z. 47)

10 Suchen Sie Synonyme zu folgenden Wörtern:

1. kriegen   Z. 5   4. gescheit   Z. 31
2. scheußlich   Z. 8   5. zum Konversieren Z. 36
3. sich umbringen   Z. 19   6. obendrein   Z. 39

11 Bilden Sie aus den folgenden Adjektiven (aus dem Text) die passenden Verben:

1. nahe (Z. 19):   Wir .... d... Ende der Fahrt: Wir sind nicht mehr weit vom Ziel entfernt.
2. schlecht (Z. 26):   Seine Lage .... zusehends.
3. alt (Z. 40):   Er ist in den letzten Jahren sehr ....

12 Beantworten Sie folgende Fragen zum Text möglichst in ganzen Sätzen und mit eigenen Worten:

1. Warum fragt Friedrich seinen Freund, ob er abergläubisch ist? 2. Wo erfährt man im Text das erste Mal vom Selbstmord Korsakows? Welche anderen Textstellen deuten schon vorher darauf hin? 3. „Plötzliche Sinnesverwirrung, sagen die

Leute". (Z. 15) Was ist damit gemeint? Wann und von wem wird diese Erklärung verwendet? Was würde man vielleicht heute statt „Sinnesverwirrung" sagen? 4. Welche Haltung nimmt Mauer zum Problem des Selbstmordes ein? (Z. 28ff) Warum begehen Menschen Selbstmord? 5. Wie beschreibt Mauer die Künstler? (Z. 24ff) Gilt das, was er bezüglich der Vergänglichkeit – der Leistungen der reproduzierenden Künstler sagt, auch heute noch? Würden Sie heutzutage auch noch sagen: „ein Künstler! Die sind doch alle mehr oder weniger anormal." (Z. 24) Was für Künstler gibt es in ihrem Land? Welche gesellschaftliche Rolle spielen sie? 6. (Z. 26) Was ist hier mit „Unsterblichkeit" gemeint? Warum haben die Menschen „unsterblich" sein wollen? Was für Vorstellungen von Unsterblichkeit gibt es? 7. Wie sieht Friedrich den Pianisten Korsakow? Wieso wird einer, der, wie Korsakow, „gescheit" war, nicht ehrgeizig sein? 8. Warum erscheint Friedrich der Selbstmord Korsakows so unverständlich? Was fühlt man beim Tode eines Menschen, der einem nahegestanden hat? 9. Es handelt sich bei dem Text um einen Auszug aus einer Tragikomödie. Für welche Passagen paßt die Bezeichnung „Komödie"? Wie würden Sie diese Art von Humor bezeichnen?

Ergänzen Sie folgende Textstellen: sagen Sie, was der Sprechende denkt aber nicht ausspricht oder nur andeutet: **13**

1. Z. 7   „Mauer: Wenn man dich so reden hört ...!"
2. Z. 12 ff „Friedrich: Na Genia, – hat er dir auch nichts gesagt?
             Genia: Mir? ..."
             „Friedrich: (ohne Genias Haltung Bedeutung beizulegen)."
             Welche Haltung nimmt Genia ein?
3. Z. 38 ff „Friedrich: Herr Gott, was hat so ein Kerl noch alles vor sich gehabt."
             Was glaubt er, welche Zukunft Korsakow gehabt hätte?
4. Z. 39 ff „Friedrich: – und schießt sich tot. Wenn das ein alter Esel tut, dem das Leben nichts mehr bieten kann ... Aber grad die ... Na."

Kapitel 2

Lesetext 1

Das Bild vom älteren Menschen

Vielleicht kennen Sie das Grimmsche[1] Märchen über die Lebenszeit von Mensch und Tier, wonach dem Menschen ursprünglich vom Schöpfer 30 Lebensjahre zugestanden wurden. Mit dieser knappen Spanne war der Mensch aber unzufrieden, und so nahm der Herrgott dem Esel, dem Hund und dem Affen einige Jahre ab und
5 gab sie dem Menschen. Demgemäß hat nun der Mensch die ersten 30 Jahre seines Lebens wirklich zueigen; die nächsten 18 Jahre muß er sich placken wie ein Esel. Zwischen dem 48. und 60. Lebensjahr liegt er dann – dem Märchen zufolge – in der Ecke, knurrend und zahnlos wie ein alter Hund – und wenn es hochkommt, sind ihm noch 10 weitere Lebensjahre beschieden, in denen er närrisch wird wie ein
10 Affe. Nun, hier wird das Defizit-Modell des Alterns deutlich – das Modell, das nach dem aufsteigenden Ast, irgendeinem Höhepunkt (im Märchen schon nach 30 Jahren), das Altern als Abfall, als Verlust, Defizit von Fähigkeiten und Leistungen, als Einschränkung des Verhaltensradius sieht. Die Folge ist: Der alte Mensch wird oft nur von der Gesellschaft bemitleidet.
15 Ein ähnliches Altersbild zeichnet Jean Paul[2] („Die wunderbare Gesellschaft"), wenn er sagt:
„Bettet doch alte Menschen weich und warm und lasset sie recht genießen, denn weiter vermögen sie nichts mehr; und bescheret ihnen gerade im Lebens-Dezember und in ihren längsten Nächten Weihnachtsfeiertage und Christbäume; sie sind
20 ja auch Kinder, ja Zurückwachsende."

Leicht geändert und gekürzt nach Gerhard-H. Sitzmann (Hrsg.), Lernen für das Alter, Diessen vor München, 1970, S. 22.
1 Jakob Grimm (1785–1863) und Wilhelm Grimm (1786–1859) sammelten Märchen und Sagen.
2 Jean Paul (1763–1825), deutscher Dichter.

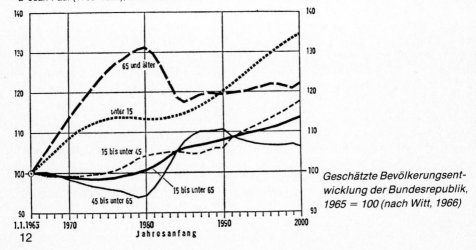

Geschätzte Bevölkerungsentwicklung der Bundesrepublik, 1965 = 100 (nach Witt, 1966)

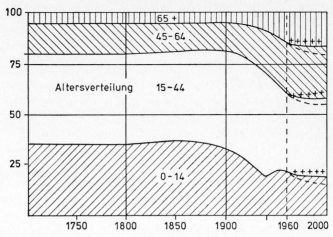

Altersschichtung der Bevölkerung in Europa (nach F. X. Kaufmann)

Chart labels: 100, 75, 50, 25 (vertical axis); 1750, 1800, 1850, 1900, 1960, 2000 (horizontal axis)

Altersverteilung: 65+, 45-64, 15-44, 0-14

Wortschatz

Zeile	Neuer Ausdruck Beispiel, bzw. etw. zur Wortfamilie	Erklärung Erklärung des Beispiels
2	ursprünglich Kennen Sie das Ursprungsland dieser Waren?	zuerst, anfangs Wissen Sie, woher diese Waren stammen?
3	die Spanne	altes Längenmaß, die Strecke zwischen auseinandergespreiztem Daumen und Zeigefinger: ≈ 20 cm. Heute: Abstand, Differenz, nicht nur räumlich, auch zeitlich.
	Die Verdienstspanne ist bei diesen Waren sehr gering. In dieser kurzen Zeitspanne kann ich das nicht erledigen.	Zeitintervall, Zeitabschnitt
5	demgemäß Wir fordern eine termingerechte Erledigung der Arbeiten. Verhalten Sie sich demgemäß!	entsprechend, also Verhalten Sie sich so, wie es die Situation verlangt!
6	zueigen haben Der Junge machte sich in dieser Angelegenheit die Haltung seiner Mutter zu eigen.	zur Verfügung haben Der Junge übernahm die Haltung der Mutter; er hat sie sich angeeignet.
8	wenn es hochkommt	höchstens
9	beschieden sein Dem Todkranken waren noch ein paar glückliche Tage beschieden. Er verlangte, daß sich die Tochter mit ihrem niedrigen Taschengeld bescheiden sollte.	vergönnt sein Bevor er starb konnte er noch ein paar glückliche Tage verleben. Er verlangte, daß sie damit zufrieden sein solle und keine höheren Ansprüche stellen solle.

9	närrisch		wie ein Narr, sonderbar, eigenartig
	das närrische Treiben		das Faschingstreiben
	Sei kein Narr!		Sei nicht dumm!
12	der Abfall		das Herabsinken; unverwertbare Überreste, der Müll
	Wie erklären Sie sich seinen Leistungsabfall?		Wie erklären Sie sich, daß er jetzt weniger leistet?
	Ich bringe den Abfall schnell runter.		Ich bringe den Müll schnell runter.
18	vermögen		können
	Niemand vermochte ihm zu helfen.		
	Das geht über mein Vermögen.		Das kann ich nicht.
	Er verdient ein Vermögen.		Er verdient sehr viel.
18	bescheren		schenken
	die Weihnachtsbescherung		die Geschenkverteilung an Weihnachten
	Das ist aber eine Bescherung!		Das ist eine unangenehme Angelegenheit!

Übungen

1 Setzen Sie die folgenden Ausdrücke ein:

ursprünglich – zugestehen – knapp – wenn es hochkommt – sich bescheiden – der Abfall – sich einschränken – die Folge ist – die Bescherung

1. Diesen Monat sind uns die Lebensmittel .... geworden. 2. Darum müssen wir uns ziemlich .... Und jetzt ist uns auch noch das Bier ausgegangen. 3. .... hatten wir noch 5 Flaschen im Keller. 4. Mein Mann .... mir davon 2 Flaschen .... 5. Wenn ...., reicht das 2 Tage. 6. Gestern ließ ich eine davon fallen. Da sagte er schadenfroh: „Jetzt hast du die ....!" 7. Die .... , daß ich mich nun mit nur einer Flasche .... soll. 8. Wenn das nicht zu einem Stimmungs .... führen muß!

2 Erklären Sie folgende Wendungen:

	Zeile
1. Demgemäß hat der Mensch die ersten 30 Jahre seines Lebens zueigen.	5 f
2. dem Märchen zufolge	7
3. närrisch wie ein Affe	9 f
4. das Defizit-Modell des Alterns	10
5. das Altern als Einschränkung des Verhaltensradius	12 f
6. weiter vermögen sie nichts mehr	18
7. sie sind ja Zurückwachsende	19 f

14

Übung zur Wortschatzerweiterung: **3**

Sammeln Sie Ausdrücke (Adj., Verben, Subst., Idiomatisches) für Verhaltensweisen (z. B. bemitleiden; kindisch) und Gemütslagen (z. B. unzufrieden), die für alte Menschen und die Einstellung zu ihnen typisch sind, und die Sie bei der Diskussion des Themas „Der alte Mensch und seine Umwelt" in den folgenden Übungen anwenden können.

Beantworten Sie folgende Fragen zum Text und zur Thematik: **4**

1. In welche Phasen ist das Leben des Menschen nach dem Grimmschen Märchen eingeteilt?
2. Wie wird das Altern im Märchen gesehen? Wie bei Jean Paul?
3. Welches Bild, das sich die Gesellschaft vom alten Menschen gemacht hat, spiegelt sich darin?
4. Mit welchen Schwierigkeiten müssen alte Menschen fertigwerden? Welche physischen und psychischen Probleme entstehen im Alter?
5. Was läßt sich aus den Tabellen erkennen?
6. Wie reagiert die Umwelt heutzutage auf den Menschen im Rentenalter?
7. Hat sich die Stellung der alten Leute in der Familie in den letzten 100 Jahren geändert?
8. Warum wohnen die Großeltern heute seltener mit Eltern und Kindern zusammen als früher?
   Welche Funktionen können die Großeltern im Haushalt der jüngeren Generation übernehmen? Welche Konflikte können dabei entstehen? Lassen sie sich lösen?
9. Der alleinstehende alte Mensch: Wie sieht sein Leben aus? Welche Erleichterungen kann man ihm schaffen?
10. Was kann bzw. sollte der Staat für die alten Leute tun?
11. Untersuchungen haben gezeigt, daß akademisch Gebildete weniger Schwierigkeiten haben, mit der für sie neuen Situation des Ruhestands und des Alterns fertigzuwerden, wenn sie das Pensionsalter erreichen. Woran mag das liegen?
12. In manchen Ländern gibt es Vorbereitungskurse auf das Rentenalter. Was lernen die Leute wohl dort? Finden Sie solche Kurse sinnvoll? Würden Sie einen solchen Kurs besuchen? Wie stellen Sie sich Ihr Leben nach der Pensionierung vor?

Bereiten Sie zu einem der folgenden Themen eine kurze kritische Stellungnahme **5**
vor:

1. Die Großfamilie ist als Gemeinschaft verschiedener Generationen ein ideales Mittel, durch die gemeinsame und auch gegenseitige Erziehung soziales Verhalten zu lernen. Stimmen Sie dem zu?
2. In der Kleinfamilie hat der Einzelne viel eher die Möglichkeit, seine eigene Identität zu finden und zu bewahren und seine ganz individuellen Bedürfnisse zu erfüllen. Äußern Sie sich zu dieser These!

Zur Grammatik

Zeile 11f:
„... irgendeinem Höhepunkt (im Märchen schon *bei 30 Jahren*)"
... irgendeinem Höhepunkt, den man nach dem Märchen schon erreicht hat, *wenn man 30 Jahre alt ist.*

Temporal   Beispiel

Präp.	Konjunktion	Präp. + Substantiv	Konjunktion + NS
vor D	bevor, ehe, solange + Neg.	Vor der Reise Vor dem Start	Bevor er verreist Solange das Flugzeug nicht gestartet ist
bei D	als, wenn, (sooft)	Beim Verreisen	Wenn er verreist Als er verreiste Sooft er verreist(e)
während G	während, (als), solange	Während der Reise	Während er verreist ist Solange er verreist ist
in D	als	In den Ferien	Als er Ferien hatte
bis zu D	bis, solange bis	Bis zu den Ferien	Bis er Ferien hat
seit D	seit (dem)	Seit seiner Abreise	Seit er abreiste
nach D	nachdem, als	Nach seiner Ankunft	Nachdem er angekommen ist
gleich nach D	gleich {nachdem wenn sobald, sowie	Gleich nach dem Auspacken der Koffer	Gleich nachdem er die Koffer ausgepackt hat Sobald er ausgepackt hat
immer bei D bei jedem D	sooft, jedesmal} wenn immer	Immer beim Spazierengehen Bei jedem Spaziergang	Sooft er spazieren ging Immer wenn er spazieren ging

zeit G	solange	Zeit seines Lebens	Solange er lebt
ohne Präp: +A	solange	Sein Leben lang	Solange er lebt

bevor NS	dann	HS	Er geht zur Bank, bevor er einkauft.
	danach	HS	⎰dann
	nachher	HS	Er geht zur Bank, ⎱danach kauft er ein.
			⎰nachher
nachdem NS	zuerst	HS	Er ging nach Haus, nachdem er sich verabschiedet hatte.
	vorher	HS	Er ging nach Haus, ⎰zuerst verabschiedete er sich. ⎱vorher

Formen Sie die präpositionalen Ausdrücke in Nebensätze (Hauptsätze) um: **6**

Beispiel: Er ging *nach seiner Rückkehr* zuerst einmal ins Kino.
Nachdem er zurückgekehrt war, ging er zuerst einmal ins Kino.

1. Beim Abschied wurde er traurig. 2. Sofort nach der Abfahrt des Zuges kam der Schaffner in unser Abteil. 3. Noch vor dem Start wußte der Sportler, daß er verlieren würde. 4. Erst beim Bellen des Hundes bekam das Kind Angst. 5. Seit dem Unfall spürt er bei jedem Wetterwechsel Schmerzen im Fuß. 6. Gleich nach Beendigung des Studiums will er eine Reise machen. 7. Er wird bis zur Prüfung noch vier Semester brauchen. 8. Vor ihrer Erkrankung trieb sie viel Sport. 9. Ich konnte ihn während der Sitzung nicht anrufen. 10. Bis zu seiner Pensionierung wohnte er in der Stadtmitte. 11. In seiner Jugend war der Künstler sehr verschwenderisch. 12. Bei größerer Nachfrage werden die Preise dieser Waren wieder angehoben. 13. Ich traf auf dem Heimweg einen Freund.

Wie oben: **7**

1. Seit unserer ersten Begegnung haben wir noch oft in diesem Restaurant gegessen. 2. In meinem ganzen Leben habe ich noch nie so eine Unverschämtheit erlebt. 3. Vor der Urteilsverkündung war der Angeklagte ziemlich nervös. 4. Nach dem Tod ihres Hundes wollte sie sich keinen neuen anschaffen. 5. Bei den Vorbereitungen für die Auslandsreise vergaß er, rechtzeitig ein Visum zu beantragen. 6. Das Baby erschrickt immer bei diesem Geräusch. 7. Die ganzen Ferien lang durfte der Junge abends länger aufbleiben.

Formen Sie die Nebensätze (Hauptsätze) in präpositionale Ausdrücke um: **8**

Beispiel: *Sobald er in Hamburg angekommen war*, rief er seinen alten Lehrer an.
Gleich nach seiner Ankunft in Hamburg rief er seinen alten Lehrer an.

17

1. Gleich nachdem sie gegessen hat, will sie zur Post gehen. 2. Solange er lebt, hat er nie Schulden gemacht. 3. Noch bevor der Film zu Ende war, verließen viele das Kino. 4. Als er entlassen worden war, wußte er nicht, wohin er sich wenden sollte. 5. Seit sie kurz in München war, spricht sie schon viel besser Deutsch. 6. Wenn ich ein Museum besuche, nehme ich einen Taschenführer mit.

9 Wie oben:

1. Während er arbeitet, will er nicht gestört werden. 2. Als er von seinem Ausflug zurückkehrte, traf er niemand zu Hause an. 3. Schon lange bevor die Vorstellung begann, waren alle Plätze ausverkauft. 4. Noch lange nachdem die Verhandlungen abgeschlossen waren, blieben die Vertragspartner zu privaten Gesprächen im Sitzungszimmer. 5. Wenn der Beitrag überwiesen worden ist, verschicken wir sofort eine Ausweiskarte. 6. Es wird nicht mehr lange dauern, bis das Geschäft an der Ecke eröffnet wird. 7. Ehe Sie sich entscheiden, empfehlen wir eine kleine Kostprobe. 8. Sooft sie ihn im Krankenhaus besuchte, brachte sie ihm ein Geschenk mit. 9. Bevor die Brücke gebaut wurde, war es, wenn es Sturm gab, unmöglich, auf die Insel zu kommen. 10. Erst als die Bilder in der Galerie ausgestellt wurden, nahmen die Kritiker überhaupt Notiz von dem Künstler. 11. Der Angestellte beriet zuerst noch einen Kunden, danach ging er zum Mittagessen.

Lesetext 2

Lovis Corinth

Geb. 1858 in Tapian (Ostpr.), gest. 1925 in Zandvoort (Holl.). Stud. an d. Akad. v. Königsberg, München, Antwerpen, Paris. 1887 in Königsberg wohnh., 1891 Übersiedlung n. München, 1900 n. Berlin. Ab 1918 im Sommer in Urfeld am Walchen-

Selbstportrait mit Strohhut (1923)

Walchenseelandschaft

see. Neb. Liebermann Hauptvertreter d. „dt. Impression.". Häufige Stilwechsel,
daher in keine Rubrik einzuordnen. Um d. Jhdt.wende rauschhafte, sinnenfrohe   5
Malerei, Allegorien; später impress.; dann flächenh. – einf. Als 53jähr. Schlaganfall
mit vorübergeh. Lähmung. Begann neu mit d. linken Hand zu malen, z. Entlastung
d. rechten. Unter ungeh. Anspannung Entsteh. d. ber. Alterswerke, d. Walchensee-
Landschaften u. Selbstbildn. z. jed. Geburtstag z. Dokumentation seines körperl.
Verfalls.; Portr. als Projektion d. Inneren, Seel., Deutungen d. menschl. Gegen-   10
übers. Zitat Kirchners über ihn: „Zu Beginn war er nur mittelm., später war er
wahrh. groß."

Frei nach Knaurs Lexikon moderner Kunst, München, 1955, S. 70.

Aufgabe: a) Schreiben Sie alle Abkürzungen aus.   **10**
          b) Schreiben Sie den Text als Bericht über Corinth um.

Beschreiben Sie die beiden Abbildungen.   **11**

Lesetext 3

Levins Mühle   *von Johannes Bobrowski*
(Auszug)

Es ist vielleicht falsch, wenn ich jetzt erzähle, wie mein Großvater die Mühle weg-
geschwemmt hat, aber vielleicht ist es auch nicht falsch. Auch wenn es auf die
Familie zurückfällt. Ob etwas unanständig ist oder anständig, das kommt darauf
an, wo man sich befindet – aber wo befinde ich mich? –, und mit dem Erzählen
5 muß man einfach anfangen. Wenn man ganz genau weiß, was man erzählen will
und wieviel davon, das ist, denke ich, nicht in Ordnung. Jedenfalls es führt zu
nichts. Man muß anfangen, und man weiß natürlich, womit man anfängt, das weiß
man schon, und mehr eigentlich nicht, nur der erste Satz, der ist noch zweifelhaft.
Also den ersten Satz
10 Die Drewenz ist ein Nebenfluß in Polen.
Das ist der erste Satz. Und da höre ich gleich: Also war dein Großvater ein Pole.
Und da sage ich: Nein, er war es nicht. Da sind, wie man sieht, schon Mißverständnisse möglich, und das ist nicht gut für den Anfang. Also einen neuen Satz.
Am Unterlauf der Weichsel, an einem ihrer kleinen Nebenflüsse, gab es in den
15 siebziger Jahren des vorigen Jahrhunderts ein überwiegend von Deutschen be-
wohntes Dorf.
Nun gut, das ist der erste Satz. Nun müßte man aber dazusetzen, daß es ein
blühendes Dorf war, mit großen Scheunen und festen Ställen und daß mancher
Bauernhof dort, ich meine den eigentlichen Hof, den Platz zwischen Wohnhaus
20 und Scheune, Kuhstall, Pferdestall und Keller und Speicher, so groß war, daß in
anderen Gegenden ein halbes Dorf darauf hätte stehen können. Und ich müßte
sagen, die dicksten Bauern waren Deutsche, die Polen im Dorf waren ärmer, wenn
auch gewiß nicht ganz so arm wie in den polnischen Holzdörfern, die um das
große Dorf herum lagen. Aber das sage ich nicht. Ich sage statt dessen: Die Deut-
25 schen hießen Kaminski, Tomaschewski und die Polen Lebrecht und Germann. Und
so ist es nämlich auch gewesen.

aus: Bobrowski, Levins Mühle, S. Fischer Verlag GmbH, Frankfurt am Main 1964

Übungen

12

Erklären Sie folgende Ausdrücke:

1. wegschwemmen (Z. 1f) 2. Auch wenn es auf die Familie zurückfällt (Z. 2f) 3. Es führt zu nichts. (Z. 6f) 4. Da sind, wie man sieht, schon Mißverständnisse möglich (Z. 12f) 5. Unterlauf der Weichsel (Z. 14)

13

Suchen Sie Synonyme zu folgenden Wörtern nach der Bedeutung, die sie im Text haben:

1. überwiegend Z. 15
2. dazusetzen Z. 17
3. gewiß Z. 23

14

Setzen Sie die Adjektive bzw. Adverbien richtig ein:
falsch – fälschlicherweise; bewohnt – bewohnbar; zweifelhaft – zweifelnd

1. a) Er sprach den Namen .... aus.
   b) Ich redete ihn .... mit dem Namen seines Schwiegervaters an.
2. a) Er sah mich .... an.
   b) Es ist ...., ob er mein Versehen für einen Witz hielt.
3. a) Die zum Großteil von armen Familien .... Stadtviertel mußten geräumt werden.
   b) Nach der Überschwemmung waren die Häuser im tieferen Teil der Stadt nicht mehr ....

15

Beantworten Sie folgende Fragen ausführlich:

1. Warum hat der Erzähler Bedenken, die Geschichte aufzuschreiben?
2. Weshalb sagt er „Mit dem Erzählen muß man einfach anfangen"? (Z. 4f)
3. Der Erzähler sagt: „Wenn man ganz genau weiß, was man erzählen will und wieviel davon, das ist, denke ich, nicht in Ordnung" (Z. 5f) Welche Einstellung zum Erzählen zeigt sich hier?
   Wie frei kann ein Schriftsteller den Handlungsablauf seiner Erzählung bestimmen? Was für Möglichkeiten für Umstellungen in der Reihenfolge des Erzählten gibt es und was für Wirkungen kann man dadurch erzielen? Gibt es Erzählungen, bei denen die „Ereignisse" in chronologischer Reihenfolge erzählt werden müssen, und wo bestimmte Sätze immer wieder in der gleichen Form gebracht werden müssen?
4. Wie lautet der erste „erste Satz" der Geschichte? Warum zieht ihn der Erzähler wieder zurück? Was wird schließlich aus dem ersten Satz?
5. Beschreiben Sie das Dorf, in dem der Großvater des Erzählers wohnte.
   Was haben die Familiennamen, die der Erzähler am Schluß dieser Passage aufzählt, zu bedeuten?

Kapitel 3

Lesetext 1

Deutsche Geschichte 1919–1945 *von Golo Mann*
(Auszug)

Hitler hat viele Gesichter. Als er aber 1945 äußerte, die Deutschen seien ihm gleichgültig, und wenn sie ihm nicht bis zum Ende folgen könnten, so verdienten sie unterzugehen, und als er entsprechend handelte – da zeigte er sein wahrstes Gesicht. Vorläufig, solange Deutschland nicht kriegsbereit war, mußte er vieles
5 verbergen, nicht nur die unterste Schicht seines Planens, Wesens und Wollens, sondern auch manches mehr. Der Mann des Krieges mußte den Mann des Friedens spielen. Das war schwierig oder hätte schwierig sein sollen, weil er in früheren Jahren im Ausplaudern seiner Wunschträume ziemlich weit gegangen war; die Dinge standen da, schwarz auf weiß. Aber die Welt will betrogen sein, will es
10 besonders dann, wenn man ihr sagt, was ihr an sich wahr, begehrenswert und vernünftig scheint. Sie vergißt dann nur zu gern, wer es ist, der es ihr sagt. Konnte der wilde Mann nicht etwa, in der Reife der Jahre und unter der Bürde der Verantwortung, vernünftig geworden sein? Offenbar, er war es; denn was der sagte, was er fünf Jahre lang in ungezählten ,,Friedensreden'' das friedenssüchtige Europa
15 hören ließ, war alles gut und weise. Krieg sei Wahnsinn, könnte nur zur Vernichtung der Zivilisation führen; kein Volk sei friedensbedürftiger als das deutsche; es wolle nur, wie jeder Ehrenmann, die eigene Ehre wiedergewinnen und sei bereit, Ehre und Lebensinteressen anderer Nationen, der großen und kleinen, ritterlich anzuerkennen; nicht Herrschaft, nur Gleichberechtigung sei sein Ziel und so fort –
20 wer könne dem widersprechen? Schritt für Schritt ging er vor, dem Ziele, dem Kriege zu. Jeder Schritt war gewagter als der vorhergehende. Nach jedem Schritt machte er Halt und sorgte durch neue Friedensreden und Angebote dafür, daß die Welt ihm noch immer glaubte, noch immer nichts Wirksames gegen ihn unternähme, indem er, was er auch tat, im Sinne ihrer eigenen Philosophie Gerechtig-
25 keit, wirtschaftliche Vernunft, Selbstbestimmungsrecht der Völker und so fort interpretierte. Dieser Betrug muß ihm einen enormen Spaß gemacht haben, und er hätte wohl selber nicht geglaubt, daß die Welt sich so leicht, so lange würde betrügen lassen. Ein Betrug war es auch an der eigenen Nation. Das half, denn hätten die Deutschen wissend mitgespielt, hätten sie gewußt, was gespielt wurde,
30 dann wäre es unmöglich gewesen, die Welt zu betrügen. Ein ganzes Volk kann nicht Komödie spielen. Aber die Deutschen in ihrer überwältigenden Mehrheit waren so friedliebend wie Franzosen und Briten. Auch sie hörten gern, was ihr Führer ihnen von Ehre, Gleichberechtigung und Aufbauarbeit schmeichelnd erzählte; und hörten es um so lieber, als er damit genau so viel männliches Auf-
35 trumpfen verband, wie er ohne Gefahr wagen konnte. Eingeweiht in die innersten Gedankengänge des Mannes war nur ein kleinster Kreis, und selbst der wurde es

nur allmählich. Andere wußten, ohne eingeweiht zu sein, auf Grund von Erinnerungen an das früher Proklamierte und Gedruckte, mehr noch auf Grund unmittelbarer, untrüglicher ästhetischer und moralischer Eindrücke. Diese, ob sie nun zu Haus blieben oder in die Emigration gingen, hatten das bittere Los Kassandras[1]. 40

aus: Golo Mann, Deutsche Geschichte 1919–1945 © 1968 Büchergilde Gutenberg, Frankfurt am Main.

1 Kassandra: Tochter des Priamus (König von Troja), die immer wieder vor dem Verderben und Elend warnt, in das Troja gestürzt wird. Ihre Weissagungen werden nur verschmäht. Sie wird nach Mykene entführt und sieht auch da ihr Schicksal voraus.

Wortschatz

Zeile	Neuer Ausdruck Beispiel, bzw. etwas zur Wortfamilie	Erklärung des neuen Ausdrucks Erklärung des Beispiels
8	das Ausplaudern Das Kind plauderte das Geheimnis aus.	das Verraten, leichtfertiges Erzählen
10	begehrenswert eine sehr begehrenswerte Frau begehren	erstrebenswert, wünschenswert eine sehr attraktive Frau heftig ersehnen, ein starkes Verlangen spüren nach
12	die Bürde Er leidet sehr unter der Bürde der Verantwortung für seinen kranken Bruder.	die Last; die Belastung, drückender Kummer
15	weise ein weiser Rat	klug; durch (lebens)lange Erfahrungen zu großem Verständnis fähig; gelehrt und abgeklärt
34f	das Auftrumpfen der Trumpf Karo war Trumpf. Mit dem Schuldbekenntnis seines Gegners hatte er einen wichtigen Trumpf in der Hand.	seine Überlegenhit, Stärke zeigen oder vortäuschen beim Kartenspiel: die Karte, Farbe, die sticht, d. h. die stärkere Karte ist.
35	eingeweiht Das neue Krankenhaus wurde am Sonntag eingeweiht. Wir wollten sie nicht in unser Vorhaben einweihen.	informiert; auf feierliche Weise zur Benutzung freigegeben
38	das Proklamierte	das öffentlich Erklärte

23

39	untrüglich	sehr deutlich, ganz sicher, nicht täuschend
	Wenn mich nicht alles trügt, kommt dort unser alter Lehrer.	Wenn mich nicht alles täuscht, ...
40	das bittere Los Kassandras	das traurige, harte Schicksal Kassandras

Übungen

1 Formen Sie folgende Textstellen um. Bilden Sie mit den angegebenen Wörtern nominale Wendungen:

Beispiel: Das Thema ist schwierig. Wegen d............... d........... kann es zu Mißverständnissen kommen.
Wegen *der Schwierigkeit des Themas* kann es zu Mißverständnissen kommen.

1. Hitler zeigte sein wahrstes Gesicht, als er 1945 äußerte, die Deutschen seien ihm gleichgültig. (Z. 1 ff) Mit sein .... im .... zeigte .... d ... Deutsch ..., ... wirklich ....

2. Das deutsche Volk wolle nur die eigene Ehre wiedergewinnen. (Z. 16 f) D... .... gehe es in erster Linie um d........... d...................

3. Es sei bereit, Ehre und Lebensinteressen anderer Nationen anzuerkennen. (Z. 17 ff)
Es erkläre sein .... zur .... von ....
....

2 Bilden Sie unter Verwendung der vorgegebenen Wörter und Wendungen kurze Sätze zu folgender Gliederungsskizze des Textes S. 22 f:

A) Hitlers Betrug
Hitlers wahres Gesicht – der Mann des Krieges – die „Friedensreden" – Krieg: – Vernichtung der Zivilisation – schrittweises Vorgehen – Ziel

B) Die Mitwisserschaft der Deutschen
die überwältigende Mehrheit – ein kleiner Kreis – das Los derjenigen, die vor Hitler warnten

3 Beantworten Sie folgende Fragen zum Text und zur Thematik:

1. Hitler hielt viele sog. „Friedensreden", die im Widerspruch zu den Absichten standen, die er schon früher in seinen Schriften veröffentlicht hatte; warum glaubten ihm die Deutschen, da doch die meisten den ersten Weltkrieg noch in schrecklicher Erinnerung hatten und sicher alles andere als kriegsbereit waren? Warum hat sich das Mißtrauen ihm gegenüber im Ausland nicht früher und stärker entwickelt?

2. Der Begriff der „Ehre" spielt in Hitlers Reden eine wichtige Rolle; welche Werte und welche Lebenshaltungen stecken in diesem Begriff?

3. Wie erklärt Golo Mann, der Verfasser des Textes, daß in Deutschland der Widerstand gegen Hitler so unwirksam war?

Zur Grammatik

Zeile 27 f:

„... daß die Welt *sich* so leicht, so lange würde betrügen *lassen*.''

daß er die Welt so leicht, so lange würde betrügen können.

Ersatzformen fürs Passiv

Aktiv / Passiv	Passiversatz
I) Man **kann den Koffer verschließen.** →	a) Der Koffer **ist zu verschließen.** sein + zu + Inf. b) Der Koffer **läßt sich verschließen.** lassen + sich + Inf. c) Der Koffer **ist verschließbar.**
Man **kann / muß** ihr Zögern verstehen.→	Ihr Zögern **ist verständlich.** sein + Adj. ⟨bar / lich ↑ vom Verb
II) Er **schickte** *mir* heute Blumen. → Verben wie: schicken, senden, liefern, überreichen, bringen, in die Hand drücken, erklären, zeigen	*Ich* **bekam** heute (von ihm) Blumen **geschickt.** Subj. + bekommen + (von + D) + Part. Perf.
III) Die Tür **wird** geöffnet. →	Die Tür öffnet **sich.** Verb + Refl. Pron.
Man **kann** ihre Schrift *schlecht* lesen. →	Ihre Schrift liest **sich** *schlecht.* (leicht, gut, u. ä.) mit Modalangabe

Bilden Sie Sätze mit:

  a) sein   + zu   + Inf.
  b) lassen   + Refl. Pron. + Inf.
  c) sein   + Adj. ⟨lich / bar
  d) bekommen + Part. Perf.
  e) Refl. Pron. + Verb

4

1. Diese Schrift kann man schlecht lesen. a) b) c) 2. Ich kann nicht verstehen, wie das passieren konnte. c) Es ist mir ..... 3. Man kann Bakterien nicht mit bloßem Auge erkennen. a) b) c) 4. Die Tante zeigte ihrem Neffen an einem Tag alle Sehenswürdigkeiten. d) 5. Heute kann man solche Ansichten nicht mehr vertreten. b) c) 6. Solche großen Autos, die viel Benzin verbrauchen, kann man heutzutage nur

schwer verkaufen. a) b) e) 7. Nicht jedem sendet man diesen Prospekt kostenlos zu. d) 8. Kann man dieses Waschpulver leicht verkaufen? b) 9. Konnte man die Aufgabe ohne Formelsammlung lösen? a) b) c) 10. Man erteilte ihm endlich die Genehmigung. d) 11. Ich kann den Fehler nicht finden. a) b) 12. Wir können Ihnen nicht mehr helfen. a) 13. Diesen Katalog senden wir Ihnen sofort zu. d) 14. Einige seiner theologischen Abhandlungen sind schwer zu lesen. b), c), e)

IV) Man *behandelte* den Hund nicht gut. Er *wurde* nicht gut *behandelt.*

Der Hund *erfuhr* keine gute *Behandlung.*

erfahren
finden
geraten in
gelangen in
sich befinden in ⎬ +Subst (vom Verb)
gelangen zu
kommen zu
bringen zu

---

5 Bilden Sie in den folgenden Sätzen das Passiv mit „werden":

1. Diese Verarbeitungsmethode findet kaum noch Verwendung. 2. Alle Möbel dieses Hausstandes kamen zur Versteigerung. 3. Wegen seines auffälligen Verhaltens geriet der Mann in Verdacht, den Schmuck gestohlen zu haben. 4. Die Nachricht von der Ankunft des Multimillionärs fand in dem kleinen Städtchen schnell Verbreitung. 5. Nach drei Wochen brachte man endlich die Tarifverhandlungen zum Abschluß. 6. Es kam im Frühjahr in weiten Teilen des Rheintals zu Überschwemmungen. 7. Drei Soldaten gerieten während des Kampfes in Gefangenschaft. 8. Erst nach dem Tode des Dichters gelangten seine Stücke zur Aufführung. 9. Man sieht dem Hund an, daß er keine besonders gute Behandlung erfuhr. 10. Das Museum kann man zur Zeit nicht besichtigen, es befindet sich noch im Umbau. 11. Das neue Stück des jungen Komponisten fand bei den Musikkritikern eine gute Aufnahme.

Passiv

Regeln:	Aktiv ⇌ Passiv		
1. Akk. obj.	→ Subj. (Nom)		
2. kein Akk. obj.	dann: „es"	(=gramm. Subj.) auf I. Stelle	
	Verb: Sg.!		fällt weg bei Umstellung
3. Subj. (Nom.)	→ von	+ Dat: Personen	
		Wetter	
	→ durch	+ Akk: Bote, Vermittler, Situation (meist von einer Person verursacht)	

4. Subj.: man	→ —		
niemand	→ neg: { ... nicht kein...		(von niemand[em]: sehr betont)

5. Dat. obj.	= Dat.obj
Gen.obj.	= Gen.obj
Präp.obj.	= Präp.obj
Präp.angabe	= Präp.angabe

6. Zeiten:			Part. Perf.		
Präs.	ich	werde	eingeladen		
Prät.	du	wurdest	besucht		
Perf.	er	ist	beschenkt	worden	
Plusqu.	sie	war	gelobt	worden	
Fut.	wir	werden	abgeholt	werden	
M V Präs.	ihr	wollt	unterhalten	werden	
Prät.	sie	konnten	verstanden	werden	
Perf.	Sie	haben	heimgebracht	werden	müssen
Plusqu.	ich	hatte	geweckt	werden	müssen
Futur I	du	wirst	benachrichtigt	werden	wollen

Beispiele:
1. Der Arzt hat *den Patienten* sofort operiert.
   Der Patient ist (von dem Arzt) sofort operiert worden.
2. Die Leute tranken nicht so viel auf dem Betriebsausflug, wie man erwartete.
   Es wurde auf dem Betriebsausflug nicht so viel getrunken, ...
   Auf dem Betriebsausflug *wurde* nicht so viel getrunken, ...
3. *Ein Eilbote* überbrachte ihr den Brief.
   Der Brief wurde ihr *durch einen Eilboten* überbracht.
   Das laute Geräusch erschreckte das Kind.
   Das Kind wurde *durch das laute Geräusch* erschreckt.
4. *Man* fragte uns nicht.   *Niemand* beachtet ihn.
   Wir wurden nicht gefragt.   Er wird *nicht* beachtet.
5. Die Oma mußte gestern *dem Kind* die Geschichte vom Rotkäppchen zum zehnten Mal erzählen.
   Gestern mußte *dem Kind* von der Oma die Geschichte vom Rotkäppchen zum zehnten Mal erzählt werden.

Übung: **6**

Ein Student erzählt seiner Freundin von seiner mündlichen Prüfung. Verwenden Sie folgende Ausdrücke und berichten Sie im Passiv!
hereinlassen; bitten, Platz nehmen; Name, fragen; schwierige Fragen, stellen; alles, protokollieren; ausquetschen, wie eine Zitrone; verwirren; genau beobachten; vage Andeutungen machen; entlassen.

Kein Passiv: Beispiele:

1. Bei Verben mit Reflexivpronomen	1. Er wäscht sich die Haare.
2. Bei Verben, die ein Geschehen, einen Prozeß ausdrücken, an dem das Subj. nicht aktiv mitwirkt.	2. Sie bekommt ein Paket. Es regnet.
3. Bei Verben der Fortbewegung ohne Akk.obj.	3. Ich gehe weg. Wir fahren aufs Land.
4. Bei Verben des Zustands	4. Er sitzt hier. Du bleibst noch.
5. Bei Verben der Zustandsveränderung	5. Ich stehe auf. Die Blumen verblühen.
6. Bei vielen festen Substantiv-Verb-Verbindungen	6. Er fährt Auto. Sie begeht Selbstmord.
7. Bei vielen Redewendungen und Sprichwörtern	7. Du hast ein wahres Wort gesprochen. Sie findet immer ein Haar in der Suppe.
8. Bei Verben + Körperteil im Akk. (als Prädikatsobj.)	8. Er gibt mir die Hand. Er legte seinen Arm um ihre Schulter.
9. Bei Verben, die eine Meinung ausdrücken	9. Ich finde den Film gut.
10. Sehr oft bei „wollen". Manchmal kann es im Pass. durch „sollen" oder „werden" (Fut. I) ersetzt werden.	10. Sie will den Kuchen essen. Sie wollen das Haus renovieren.→ Das Haus soll renoviert werden. Das Haus wird renoviert werden.

7 Verwenden Sie das Passiv, aber nur wo es möglich ist:

1. Während der Sitzung besprach man den neuen Haushaltsplan. 2. Der Straßenlärm störte ihn sehr bei seiner Arbeit. 3. Sie hätten diese Übungen hier genauer besprechen sollen! 4. Er lag im Bett und schlief den Schlaf des Gerechten. 5. Der Zug kam mit Verspätung in Hamburg an, und mein Anschlußzug war schon abgefahren. 6. Ich mußte ihm die Regeln für das Kartenspiel jedesmal neu erklären. 7. Solange er noch Sport trieb, nahm er auch nicht zu. 8. Er betrachtet den jungen Mann auch nach dem Streit noch als seinen Freund. 9. Ein Vertreter der Firma brachte dem Geschäftsmann gleich nach seiner Ankunft ein wichtiges Dokument ins Hotel. 10. Er erhielt endlich das Telegramm. 11. Wen werden Sie zu der Party einladen? 12. Die Verhaltensstörungen des Kindes führte der Arzt auf die lange Krankheit zurück. 13. Die Flucht gelang erst nach zwei gefährlichen Versuchen. 14. Der Stadtrat wollte den Bau der Umgehungsstraße auf nächstes Jahr verschieben. 15. Ich bekam heute die Mitteilung, daß mein Gehalt erhöht wird. 16. Als sich das kleine Kind verabschiedete, gab es den Eltern seines Freundes die Hand, was sie niedlich fanden.

Lesetext 2

Rückblick

Am 22. Februar 1943 wurden die Studenten Sophie und Hans Scholl und Christoph Probst vom Volksgerichtshof in München zum Tode verurteilt und noch am selben Tag in Stadelheim hingerichtet. Sie gehörten einem christlich orientierten studentischen Widerstandskreis, der Weißen Rose, an. Unter den Studenten der Universität München war seit längerer Zeit ein latenter Widerstand gegen das 5 Naziregime spürbar. Nach der Tragödie von Stalingrad hatte Gauleiter[1] Giesler den Studenten in einer Versammlung vorgeworfen, sie zeigten „mangelnde Bereitschaft im erbitterten Ringen um den Sieg". Am 18. Februar warfen Hans und Sophie Scholl in den Lichthof[2] des Hauptgebäudes der Universität Flugblätter, auf denen es hieß: „Der Tag der Abrechnung ist gekommen, der Abrechnung der 10 deutschen Jugend mit der verabscheuungswürdigsten Tyrannis, die unser Volk je erduldet hat. ... Kein Drohmittel kann uns schrecken ... Es gilt den Kampf jedes einzelnen von uns um unsere Zukunft, unsere Freiheit und Ehre in einem seiner sittlichen Verantwortung bewußten Staatswesen". Sie wurden dabei vom Pedell[3] überrascht und der Gestapo[4] gemeldet, die die Geschwister Scholl und ihren 15 Freund Probst festnahm. Professor Kurt Huber, der das Flugblatt verfaßt hatte, wurde mit den Studenten Alexander Schmorell und Willi Graf wenige Tage später verhaftet. Sie wurden am 18. April zum Tode verurteilt.

Gekürzt nach Süddeutsche Zeitung, 22. Februar 1979.

1 Gauleiter: Leiter eines Gaus, eines Bezirks im Dritten Reich.
   Gau: (urspr.) wald- und wasserreiches Gebiet; (später) Siedlungsgebiet der Untergruppe eines germanischen Stammes (z. B. Chiemgau, Breisgau).
2 Lichthof: Innenhof mit Glasdach.
3 Pedell: Der Hausmeister einer Schule oder Universität.
4 Gestapo: Abkürzung für *Ge*heime *Sta*ats*po*lizei: 1934–45 in Deutschland die Geheimpolizei, die wegen der Verfolgung und Verhaftung der Gegner des Hitlerregimes berüchtigt und gefürchtet war.

Lichthof der Ludwig-Maximilian-Universität in München, wo die Geschwister Scholl die Flugblätter abwarfen

Wortschatz

Zeile	Neuer Ausdruck Beispiel, bzw. etw. zur Wortfamilie	Erklärungen Erklärung des Beispiels
7f	die Bereitschaft Die Feuerwehr ist ständig in Bereitschaft. Sind sie bereit, mitzumachen?	das Bereitsein, etwas zu tun; das Wollen Sie hält sich bereit zum Einsatz. Wollen Sie mitmachen?
8	das erbitterte Ringen um den Sieg Tee ohne Zucker ist bitter. Er ringt die Hände, als er hört, was geschehen war. der Ringkämpfer	der harte Kampf um den Sieg aus Erstaunen, Angst, Entsetzen
11	verabscheuungswürdig Abscheu vor einem Mörder, einer Tat empfinden	so, daß man es verabscheuen muß, ekel- haft findet. sich davor ekeln, es widerlich finden, verurteilen
12	erdulden Er hat große Schmerzen zu er- dulden. Der Kranke duldet schweigend. Unser Lehrer hat viel Geduld.	ertragen, leiden unter
12	das Drohmittel Manche Drohmittel nützen nichts. Der Vater drohte dem Kind: „Iß die Suppe, sonst gibt's keinen Nach- tisch!''	das, womit man jdm. droht, (oft um ihn dazu zu bringen, etwas zu tun).
12	es gilt Es gilt, sich noch mehr anzu- strengen. Diese Regelung gilt für alle. Das gilt dir.	Wir müssen uns noch mehr an- strengen. Es ist notwendig, sich noch mehr anzustrengen. Sie ist für alle gültig, maßgebend. Du bist gemeint.
14	sittlich die sittliche Verantwortung die sittliche Verantwortung gegenüber den Schwächeren in der Gesellschaft. Als der Vater seine achtköpfige Familie verließ, sprach man ihm jede sittliche Verantwortung ab.	ethisch, moralisch die von der Verpflichtung gegen- über den sittlichen Werten getra- gene Verantwortung
14	sich bewußt sein Als Eltern muß man sich seiner Aufgabe bewußt sein.	Man muß wissen, was seine Auf- gabe ist, und immer daran denken.

Übungen

Beantworten Sie folgende Fragen ausführlich: **8**

1. Welche Haltung nahmen die Münchener Studenten zum Naziregime immer mehr ein?
2. Was warf Gauleiter Giesler den Studenten in einer seiner Ansprachen vor?
3. Warum hatten sich die Studenten zu einem Widerstandskreis zusammengeschlossen?
4. Womit mußte man rechnen, wenn man zur Zeit des sog. „Dritten Reichs" Widerstand gegen die Regierung leistete?
5. Wie versuchten Hans und Sophie Scholl, ihre Kommilitonen zum Kampf gegen Hitler aufzurufen?
6. Wie sollte ein Staatswesen aussehen, das sich seiner sittlichen Verantwortung gegenüber den Bürgern bewußt ist?
7. Welche Formen des Strafvollzugs gibt es in den verschiedenen Ländern für schwerste Verbrechen?

Vervollständigen Sie die Sätze sinngemäß: **9**

1. Der Grund für die Hinrichtung der Geschwister Scholl war ... 2. Die Geschwister Scholl versuchten ... 3. Sie benutzten Flugblätter, um ... 4. Sie erwarteten von den anderen Studenten ... 5. Der Pedell der Universität trägt insofern auch Schuld am Tod der Geschwister Scholl .... 6. Wenn die Aktion auch scheiterte, ...

Halten Sie zu folgenden Themen kurze Vorträge, oder bereiten Sie zu Hause einen **10**
Aufsatz vor, oder diskutieren Sie im Unterricht mit den anderen Kursteilnehmern darüber:

1. Studentenbewegungen. Was können sie erreichen?
2. Angenommen, man wirft dem Pedell vor, er sei mit verantwortlich für die Hinrichtung der Mitglieder der „Weißen Rose", was könnte er zu seiner Verteidigung sagen?

Lesetext 3

Gedanken über die Dauer des Exils   *von Bertolt Brecht*

I

Schlage keinen Nagel in die Wand
Wirf den Rock auf den Stuhl.
Warum vorsorgen für vier Tage?
Du kehrst morgen zurück.

5 Laß den kleinen Baum ohne Wasser!
Wozu noch einen Baum pflanzen?
Bevor er so hoch wie eine Stufe ist
Gehst du froh weg von hier.

Zieh die Mütze ins Gesicht, wenn Leute vorbeigehn!
10 Wozu in einer fremden Grammatik blättern?
Die Nachricht, die dich heimruft
Ist in bekannter Sprache geschrieben.

So wie der Kalk vom Gebälk blättert
(Tue nichts dagegen!)
15 Wird der Zaun der Gewalt zermorschen
Der an der Grenze aufgerichtet ist
Gegen die Gerechtigkeit.

II

Sieh den Nagel in der Wand, den du eingeschlagen hast:
Wann glaubst du, wirst du zurückkehren?
20 Willst du wissen, was du im Innersten glaubst?

Tag um Tag
Arbeitest du an der Befreiung
Sitzend in der Kammer schreibst du.
Willst du wissen, was du von deiner Arbeit hältst?
25 Sieh den kleinen Kastanienbaum im Eck des Hofes
Zu dem du die Kanne voll Wasser schlepptest!

Bertolt Brecht, Gedanken über die Dauer des Exils, in: Ausgewählte Gedichte, Edition Suhrkamp, 1977, S. 53 f.

Übungen

Erklären Sie folgende Ausdrücke nach ihrer Bedeutung im Text: **11**

1. Kalk   (Z. 13)   4. zermorschen   (Z. 15)
2. Gebälk   (Z. 13)   5. Kammer   (Z. 23)
3. blättern (Z. 13)   6. schleppen   (Z. 26)

Suchen Sie Synonyme zu folgenden Wörtern: **12**

1. Rock (Z. 2)   2. wozu (Z. 6)   3. halten von (Z. 24)

Beantworten Sie folgende Fragen zu Form und Inhalt des Gedichts: **13**

1. Um welche Art von Sätzen handelt es sich in den ersten beiden Zeilen?
2. Was bedeutet es, daß er keinen Nagel in die Wand schlagen soll?
3. Wer spricht hier, wer wird angesprochen? Was für eine Frage wird in Zeile 3 gestellt? An wen ist sie gerichtet?
4. Warum soll er den Baum nicht begießen? (Z. 5)
5. Warum soll er seine Mütze ins Gesicht ziehen? (Z. 9)
6. Von welcher Nachricht spricht er? (Z. 11) Wer schreibt sie?
7. Was für ein Bild wird in der vierten Strophe (Z. 13 ff) verwendet? Erklären Sie das Bild!
8. Vergleichen Sie die Zeilenlänge in Teil I und II! Vergleichen Sie die Formulierung der Fragen im I. und II. Teil des Gedichts. Was hat das zu bedeuten?
9. In welcher Stimmung befindet sich der im Exil Lebende anfangs? Wie verändert sich das später?
10. Welche Zweifel haben ihn befallen?
11. Wie verbringt er seine Zeit? Was hält er von dem Wert seiner Arbeit?
12. Was kann dazu führen, daß man im Exil leben muß? Gibt es Menschen, die freiwillig ins Exil gehen? Aus welchen Gründen tun sie das? Nennen Sie möglichst viele Gründe, die einen veranlassen können, seine Heimat zu verlassen und sich für unabsehbare Zeit im Ausland aufzuhalten.

Kapitel 4

Lesetext 1

Enthaltsamer, unverwüstlicher Radaubruder

In den Vormittagsstunden des 29. September 1913, einem Montag, ging in Antwerpen ein unscheinbarer Mann Mitte der Fünfzig an Bord der „Dresden", einer Fähre über den Ärmelkanal. Unter den Passagieren, die in Harwich das Schiff verließen, war er nicht mehr aufzufinden. Und er blieb verschollen. Ob Rudolf Diesel, der die
5 wirtschaftlichste Wärmekraftmaschine erfand, vor 65 Jahren einem Unfall zum Opfer fiel, ist ungeklärt.

Das Patent für seine selbstzündende Verbrennungskraftmaschine erhielt er 1892. Ein Jahr später veröffentlichte er die vielbeachtete Schrift „Theorie und Konstruktion eines rationellen Wärmemotors" und fand in der Maschinenfabrik Augsburg-
10 Nürnberg (MAN) den geeigneten Partner für die Weiterentwicklung seiner Idee. Fortschritte und Erfolge des Dieselmotors mußten freilich mühsamer erkämpft werden als beim Antriebssystem, das Nikolaus Otto entdeckt hatte.

Dennoch führten die Arbeiten in zahlreichen europäischen Maschinenfabriken zu produktionsreifen Aggregaten. Diesel wurde zum wohlhabenden Mann.
15 500 Umdrehungen pro Minute galten beim Stand der Technik von 1914 als oberste Drehzahlgrenze für Dieselmotoren. Gegen die benzingetriebene Konkurrenz standen sie damit auf verlorenem Posten. Schuld an dem ausgeprägten Phlegma des Dieselmotors war dessen Treibstoffversorgung: Es galt, den Kraftstoff in den mit hochverdichteter Luft gefüllten Brennraum zu befördern. Ein Pumpenaggregat,
20 das diese Aufgabe extrem schnell und präzis erfüllte, fehlte damals noch.

Erst 35 Jahre nach der Patenterteilung gelang es, dem Dieselmotor eine geeignete Kraftstoffversorgung beizugeben. Die Stuttgarter Firma Bosch leitete damals mit einer Hochdruck-Einspritzanlage die Entwicklung des modernen Dieselmotors ein.
25 Was heutzutage den hektischen Trend zum dieselbetriebenen Auto bestimmt, sind mehr noch als die Käufergunst jene amerikanischen Verbrauchsvorschriften, die den Treibstoffkonsum der Autos in den achtziger Jahren bei wenig mehr als zehn Litern pro 100 km festlegen wollen. Daß der Verbraucher mit dem neuen Diesel billiger fährt, ist bei dem notwendigen Aufwand für die Herstellung von Motoren
30 dieser Art kaum gewährleistet. Man wird zwar weniger Treibstoff tanken müssen, aber beim Kauf des Wagens einen wesentlich höheren Preis zu bezahlen haben. Dennoch: Das Produkt des Erfinders, der im Ärmelkanal verschollen ist, kommt erst richtig auf Touren.

Stark gekürzt und etwas geändert nach Clauspeter Becker, Zeit Magazin Nr. 11, 10. 3. 1978, S. 22 ff.

Wortschatz

Zeile	Neuer Ausdruck Beispiel, bzw. etw. zur Wortfamilie	Erklärung Erklärung des Beispiels
0*-	enthaltsam	sehr bescheiden, abstinent, genügsam
0	unverwüstlich	nicht zu zerstören, robust
0	der Radaubruder	jd., der sehr laut ist, oft in Schlägereien verwickelt ist
	der Radau	der Lärm, der Krach, das Getöse
2	unscheinbar	unauffällig, einfach
	verschollen	unauffindbar
	Drei Mitglieder der Expedition sind verschollen.	Drei Expeditionsmitglieder wurden vermißt und konnten nicht gefunden werden.
5	die Wärmekraftmaschine	Maschine zur Umwandlung von Wärme, die z. B. durch Verbrennung von Treibstoff entsteht, in mechanische Energie
7	selbstzündend	Zündung ohne (durch Zündkerze erzeugten) Funken
	anzünden die Zündung beim Auto	z. B. ein Feuer anmachen
12	das Antriebssystem	z. B. Dieselmotor, Ottomotor (mit Benzin angetriebener Motor), Wankelmotor
	Dieser Wagen hat Hinterradantrieb.	Die Hinterräder des Wagens werden angetrieben.
	Die Maschine wird elektrisch angetrieben. der Treibstoff	z. B. Benzin, Dieselöl, Gas
14	das Aggregat	Aus mehreren Teilen zusammengesetzte Maschine
14	wohlhabend	vermögend, reich
16 f	auf verlorenem Posten stehen	keine Aussicht auf Erfolg haben
17	ausgeprägt	besonders, stark entwickelt
17	das Phlegma	die Trägheit, die Schwerfälligkeit, die Langsamkeit
19	hochverdichtete Luft	stark komprimierte Luft
25	hektisch	aufgeregt, nervös
25	der Trend	die Entwicklungstendenz
26	die Käufergunst	die Neigung der Käufer, bestimmte Artikel zu bevorzugen
	Der Verkäufer hat sich zu meinen Gunsten verrechnet.	zu meinem Vorteil
29	der Aufwand z. B. an Zeit, Arbeit, Geld, Material	die Mühe, der Einsatz von etw.

* Zeile 0: Überschrift

30	gewährleisten	garantieren, sichern
32f	auf Touren kommen	eine höhere Drehzahl erreichen, in Schwung kommen
	Bei der Diskussion kam er ganz schön auf Touren.	Er ereiferte sich, er sprach sehr erregt.

Übungen

1 In den folgenden Satzteilen stehen Wörter und Wendungen aus dem Text S. 34 in einem anderen inhaltlichen Zusammenhang. Ergänzen Sie sinngemäß:

1. Die Pflanze blüht im Mai, die Blüten sind allerdings so unscheinbar, daß . . .
2. Mein Freund begrüßte mich zwar sehr stürmisch, . . . 3. Je öfter ich höre, wie viele Radfahrer Unfällen zum Opfer fallen, . . . 4. Erst als man ihm sagte, wie wohlhabend der Vater der jungen Dame sei, . . . 5. Bei seinem Phlegma wundert es mich, . . . 6. Auf Bahnhöfen geht es oft sehr hektisch zu, denn . . . 7. Mit weniger Aufwand an Zeit und Energie hätten Sie . . .

2 Ergänzen Sie folgende Sätze sinngemäß:

1. Mag Diesels „Theorie und Konstruktion eines rationellen Wärmemotors" auch in Fachkreisen eine vielbeachtete Schrift gewesen sein, . . . 2. Beim Dieselmotor handelt es sich um ein Antriebssystem . . . 3. Außer dem Dieselöl kenne ich als Treibstoff noch . . . 4. Wie sehr man anfangs auch versuchte, die relativ niedrige Drehzahlgrenze der Dieselmotoren zu erhöhen, . . . 5. Es bereitete große Schwierigkeiten, den Kraftstoff in den mit hochverdichteter Luft . . . 6. Der heutige Trend zum Diesel hängt damit zusammen, . . . 7. Mit Dieselmotoren ausgerüstete Kraftfahrzeuge kann man insofern als beinahe unverwüstlich bezeichnen, . . .

3 Suchen Sie das aus dem Substantiv abgeleitete Adjektiv oder Adverb:

Beispiel: Diesels Schrift über den Wärmemotor fand *viel Beachtung.*
Die *vielbeachtete* Schrift wurde 1893 veröffentlicht.

1. Man hat *keine* genaue *Erklärung* dafür, wie Diesel ums Leben kam.
Sein Tod blieb . . .
2. Die Erfindung seiner Wärmekraftmaschine hatte *Erfolg.*
Sie war . . . .
3. Die Verwirklichung seiner Idee war mit großen *Mühen* verbunden.
Sie war sehr . . .
4. In vielen Fabriken entwickelte man Aggregate, die in *Produktion* gehen konnten.
Sie waren . . .
5. Die oberste Drehzahl*grenze* lag bei 500 pro Minute.
Die Drehzahl war auf 500 pro Minute . . .
6. Es war unmöglich, die Vorgänge, die zum Verschwinden von R. Diesel geführt hatten, auch nur mit einiger *Präzision* zu rekonstruieren.

Eine auch nur einigermaßen .... Rekonstruktion der Tatbestände war unmöglich.
7. Die Entwicklungsarbeiten am Dieselmotor waren nur mit großem *Aufwand* durchzuführen.
Die Entwicklung des Dieselmotors war ein sehr .... Prozeß.

Setzen Sie die folgenden Verben, die in Fachtexten häufig vorkommen, richtig ein, ergänzen Sie die fehlenden Präpositionen und Endungen und erklären Sie die Sätze mit eigenen Worten: **4**

führen zu – werden zu – gelten als – liegen an – gelingen – sich erweisen als – gehören zu – fehlen – zählen zu

1. Rudolf Diesel .... d. . . bedeutendsten Ingenieuren der letzten hundert Jahre.
2. . . . . d. . . Verbrennungskraftmaschinen .... außer dem Dieselmotor der Ottomotor, Gasturbinen und Düsentriebwerke.
3. Der Dieselmotor .... robuster und etwas wirtschaftlicher als der Vergasermotor.
4. Vor allem für Lastkraftwagen, Lokomotiven und in der Schiffahrt.......... sich der Diesel . . . ein sehr geeignetes Antriebssystem.
5. Allerdings .... Probleme bei der Versorgung des Dieselmotors mit Treibstoff da. . . ., daß anfangs seine Umdrehungszahl weit unter der von Ottomotoren zurückblieb.
6. Das .... hauptsächlich da. . . ., daß ein geeignetes Pumpenaggregat noch ....
7. Dieselbetriebene Autos .... auch deshalb immer mehr . . . . einem beliebten Kaufobjekt, weil sie im ganzen . . . . umweltfreundlicher ....
8. In letzter Zeit .... es auch den Konstrukteuren, die Geräuschdämpfung so zu vervollkommnen, daß die Lärmbelästigung während der Fahrt wesentlich zurückgegangen ist.

Wiederholung Aktiv – Passiv – Passiversatz – Relativsätze – Partizipialkonstruktionen – Temporalsatz **5**
Ergänzen Sie die folgenden Sätze bzw. Satzteile sinngemäß:

1. Das Patent für seine selbstzündende Verbrennungsmaschine *erhielt er* 1892.
Pass.: Ihm ....
Pass. ers.: Er .... ausgestellt.
2. Eine *vielbeachtete* Schrift
Rel. satz: Eine Schrift, ...
3. Fortschritte und Erfolg *mußten* mühsam *erkämpft werden*.
Aktiv: Man ....
4. Das Antriebssystem, *das Nikolaus Otto entdeckt hatte*
Part.: Das .... Antriebssystem
5. Der *mit hochverdichteter Luft gefüllte* Brennraum
Rel. satz: Der Brennraum, ... mit hochverdichteter Luft ....

6. Ein Pumpenaggregat, *das diese Aufgabe extrem schnell und präzis erfüllte*

Part.: Ein . . . . Pumpenaggregat

7. 35 Jahre *nach der Patenterteilung*

temp. NS: 35 Jahre . . . .

8. Er wird *beim Kauf des Wagens* einen hohen Preis zu zahlen haben.

temp. NS: Er wird einen hohen Preis zu zahlen haben, ...

. . . .

6 Die folgenden unvollständigen Sätze sind Erklärungen und Umformungen einzelner Sätze, Wendungen und Wortgruppen aus dem Text.
Ergänzen Sie sinngemäß mit den Angaben am Rand:

Beispiel: Unter den Passagieren, die in Harwich das Schiff verließen, war er nicht mehr aufzufinden.

(befinden) Er . . . . ,

(von Bord) . . . .

Er befand sich nicht mehr unter den Passagieren, die in Harwich von Bord gingen.

1. R. Diesel, der die bis heute wirtschaftlichste Wärmekraftmaschine erfand

(Erfinder) R. Diesel, ...

2. Ob R. Diesel vor 65 Jahren Selbstmord beging

(das Leben) Ob sich . . . .

3. oder einem Unfall zum Opfer fiel, ist ungeklärt

a) (Unfall; wissen) oder ob es . . . . , ... man . . . .

b) (feststellen) oder einem Unfall zum Opfer fiel, ...

4. Er fand in der MAN den geeigneten Partner für die Weiterentwicklung seiner Idee.

Für ihn war . . . . Partner, mit dem . . . .

(weiterentwickeln) . . . .

5. Fortschritte und Erfolge des Dieselmotors mußten freilich mühsamer erkämpft werden als beim Antriebssystem, das N. Otto entdeckt hatte.

(erzielen) Man . . . . aber bei dem Dieselmotor nicht so . . . .

. . . . wie . . . . . . von N. Otto . . . .

Antriebssystem.

6. 500 Umdrehungen pro Minute galten beim Stand der Technik von 1914 als oberste Drehzahlgrenze.

(für möglich halten) Die Techniker . . . .

(Drehzahl), daß . . . . heraufgesetzt . . . .

7. Es galt, den Kraftstoff in den mit hochverdichteter Luft gefüllten Brennraum zu befördern.

Man . . . . den Kraftstoff in den Brennraum befördern, ...

(gefüllt) . . . .

8. Ein Pumpenaggregat, das diese Aufgabe extrem schnell und präzis erfüllte, fehlte damals noch.

(geben) Damals . . . . Pumpenaggregat, das . . . .

(geeignet) . . . ., diese Aufgabe . . . .

9. Was heutzutage den hektischen Trend zum dieselbetriebenen Auto bestimmt, sind auch jene neuen amerikanischen Verbrauchsvorschriften, die den Treibstoffkonsum der Autos in den achtziger Jahren bei wenig mehr als zehn Litern festlegen wollen.

(beschränken) Jene neuen amerikanischen Verbrauchsvorschriften, ...
. . . . sind heutzutage

(Grund) unter anderem . . . .

10. Daß der Verbraucher mit dem neuen Diesel billiger fährt, ist bei dem notwendigen Aufwand für die Herstellung von Motoren dieser Art kaum gewährleistet.

(werden) Billiger . . . . der neue Diesel für . . . . bei dem notwendigen Herstellungsaufwand nicht unbedingt.

11. Er wird zwar weniger Treibstoff tanken müssen, aber beim Kauf des Wagens einen hohen Preis zu bezahlen haben.

(Treibstoffkosten) Zwar . . . .,

(Anschaffungspreis) aber dafür . . . .

Beantworten Sie folgende Fragen zum Text und zur Thematik: **7**

1. Was hat Rudolph Diesel bekannt gemacht?
2. Welche möglichen Erklärungen gibt es für den Tod von Diesel?
3. Die Entwicklung des Dieselmotors ging nicht ganz reibungslos vor sich, welche Schwierigkeiten waren zu überwinden?
4. Warum konnte sich der Dieselmotor anfangs in der Autoindustrie nicht durchsetzen?
5. Aus welchen Gründen hat das Interesse am Dieselmotor in den letzten Jahren, besonders in den U. S. A., sehr zugenommen?
6. Von welchen Erwägungen würden Sie bei der Anschaffung eines Personenkraftwagens ausgehen?
7. (Halten Sie einen kurzen Vortrag zum Thema:) Glauben Sie, daß die kritischere Haltung, die man in letzter Zeit zunehmend dem Auto gegenüber einnimmt, gerechtfertigt ist? (≈ 5–10 Min.)
8. (Schreiben Sie einen Aufsatz zum Thema:) Warum wollen so viele junge Leute ein eigenes Auto haben? (≈ 3 Seiten)

Zur Grammatik

Zeile 4:
„Und er blieb *verschollen*."   Partizip Perfekt

A) Part. Perf. als Prädikatsergänzung

Er	*gilt*	als	*verschollen.*	Urteil, verbreitete Meinung
Sie	*fühlt*	sich	*beleidigt.*	Gefühl
Ich	*weiß*	mich	*verstanden.*	Sicherheit
Er	*gibt*	sich	*geschlagen.*	Resignation
Sie	*hält*	sich	*verborgen.*	Zustand
Ich	*sehe*	mich	*gezwungen,* das zu tun.	Feststellung
Man	*sieht*	etw. als	*beendet an.*	Haltung
Man	*betrachtet*	etw. als	*erledigt.*	Meinung
Sie	*kommt*	sich	*vernachlässigt vor.*	Gefühl; Anschein
Sie	*kommt*		*angerannt.*	Bewegungsart (auf etw. oder jem. zu)
Man	*bringt*	ihn	*getragen.*	Transport

8 Was fehlt?

1. Er . . . . früher als sehr begütert. 2. Er . . . . sich betrogen. 3. Er . . . . seine Karriere als ruiniert. 4. Er . . . . sich verloren. 5. Er . . . . sich versteckt. 6. Er . . . . plötzlich angereist. 7. Er . . . . einen Koffer voller neuer Pläne angeschleppt. 8. Er . . . . sich jetzt in die Lage versetzt, alles zurückzuzahlen. 9. Er . . . . sich wieder respektiert. 10. Er . . . . sich nicht mehr so ausgenützt vor. 11. Er . . . . die alte Geschichte als vergessen und begraben an.

B) zu + Part. Präs. als Attribut

ein zu erfüllender Wunsch ⇌

ein Wunsch,	der zu erfüllen ist	a	der zu erfüllen ist	= a
	den man erfüllen kann	b	den man erfüllen muß	f
	der erfüllt werden kann	c	der erfüllt werden muß	g
	der sich erfüllen läßt	d	den man erfüllen soll	h
	der erfüllbar* ist	e	der erfüllt werden soll	i
			den man zu erfüllen hat	j

* vergl. auch:
ein in Wasser zu lösendes Pulver
ein Pulver, das in Wasser lös*lich* ist (e)

$$zu + \text{Part. Präs.} + \text{Adj. end.} \rightleftharpoons \text{Rel. satz} + \left\{ \begin{array}{l} zu + \text{Inf} + \text{sein} \\ \text{können} \\ \text{müssen} \\ \text{sollen} \\ \text{Adj} \begin{array}{l} \text{lich} \\ \text{bar} \end{array} \right\} + \text{sein} \\ \text{sich lassen} \end{array} \right\} \textbf{passivisch}$$

(= Inf.+d)

Bilden Sie Sätze nach obigem Beispiel: **9**
1. zu besprechende Probleme (a, b, c, f, g, j) 2. eine nicht zu verstehende Reaktion (a, b, e) 3. eine auf schlechte Ernährung zurückzuführende Mangelerscheinung. (a, b, c, d, f,g) 4. ein in die Abrechnung einzubeziehender Posten (a, f, g, j) 5. der zu erneuernde Bodenbelag (a, f, g, h, i) 6. eine schwer zu durchschauende Handlungsweise (a, b, c, d, e) 7. einige heute noch zu besprechende Angelegenheiten (a, f, g, j) 8. die zu verlängernde Aufenthaltserlaubnis (a, b, c, f, g, j) 9. der bei einem Notfall zu benutzende Ausgang (a, b, c, f, g, h, i, j)

C) **Partizipialkonstruktion** $\rightleftharpoons$ **Nebensatz/Hauptsatz**

1. Modal + (Temporal) Frage: **wie? (wann?)**		
Part. Präs.	Der Journalist schrieb, *an den Fingernägeln kauend,* seinen Bericht über Hühnerzucht.	Der Journalist schrieb seinen Bericht über Hühnerzucht, *wobei* er an den Fingernägeln kaute.
	Laut schreiend konnte sie die Ratte vertreiben.	*Indem* sie laut schrie, konnte sie die Ratte vertreiben.
Part. Perf.	*Von den vielen Leuten etwas eingeschüchtert,* blieb das Kind an der Tür stehen.	Das Kind war von den vielen Leuten etwas eingeschüchtert *und* blieb an der Tür stehen.
2. Kausal Frage: **warum?**		
Part. Perf.	*Von dem Geräusch erschreckt,* lief die Katze schnell weg.	*Weil* das Geräusch die Katze erschreckt hatte, lief sie schnell weg.
Part. Präs.	*Im Dunkeln aus dem Zimmer eilend,* fiel er über den Hund, der auf der Schwelle lag.	*Da* er im Dunkeln aus dem Zimmer eilte, fiel er über den Hund, der auf der Schwelle lag.

3. Temporal   Frage: **wann?**

Part. Perf.	*In München angekommen,* ging er als erstes zu seinem Rechtsanwalt.	Gleich *nachdem* er in München angekommen war, ging er zu seinem Rechtsanwalt.
Part. Präs.	*Aus dem Haus tretend,* stolperte er über einen Eimer.	*Als* er aus dem Haus trat, stolperte er über einen Eimer.

4. Konditional   Frage: **unter welcher Bedingung?**

Part. Perf.	*Genau betrachtet,* sind diese Übungen nicht so schwierig.	*Wenn* man es genau betrachtet, sind diese Übungen nicht so schwierig.

5. Konzessiv   (Frage: **trotz welchen Umstands?**)

Part. Perf.	*Von seinen guten Chancen bei dem Mädchen zwar überzeugt,* ließ er ihr *doch* einen Riesenblumenstrauß schicken.	*Obwohl* er von seinen guten Chancen bei dem Mädchen überzeugt war, ließ er ihr *doch* einen Riesenblumenstrauß schicken.

Methode: Nebensatz ⎫
                Hauptsatz ⎬ → Part. Konstr.

1. Konjunktion   : fällt *weg*
2. Subj.: Perspron.   : fallen *weg*
        Nomen   : in den Hauptsatz
3. Hilfsverben   : fallen *weg*
4. Hauptverb: vorzeitig : Part. Perf.
             passivisch : Part. Perf.
5. Hauptverb: gleichzeitig : ⎰ Part. Präs.
                            ⎱ Part. Perf. (nur tr. durative Verben)
6. Ergänzungen   = bleiben

Beispiel:

  1. 2.   6.   4.   3.
~~Weil~~ ~~er~~ in der Nacht von einer Mücke im Schlaf gestört ~~wurde~~, stand er schließlich
          1.   2. 6.   5.
auf, ~~wobei~~ ~~er~~ laut schimpfte.

In der Nacht von einer Mücke im Schlaf gestört, stand er schließlich laut schimpfend auf.

10 Formen Sie die Nebensätze in Partizipialkonstruktionen um (nach der Methode oben):

1. Weil er über den Besuch erstaunt war, fand er keine Worte.
2. Wenn man es genau nimmt, ist das Leben hier sehr angenehm.

3. Dadurch daß der Junge auf seinem Stuhl schaukelte und lustlos im Essen herumstocherte, machte er seine Eltern ganz nervös.
4. Obwohl der Kunde von der Qualität der Ware überzeugt war, nahm er doch vom Kauf Abstand.
5. Nachdem sie aus der Firma ausgeschieden war, blieb sie doch weiterhin mit ihren früheren Arbeitskollegen in Verbindung.

Methode: Part. konstr. → { Nebensatz / Hauptsatz			
1. Frage bilden: z. B. **wie?**	**warum?**	**wann?**	**unter welcher**
indem + NS	weil + NS	nachdem + NS	**Bed.?**
2. Konjunktion: wobei + NS	denn + HS	als + NS	wenn + NS
3. Ergänzungen = bleiben stehen			

Beispiel: 1.
Von der Jagd auf die Mücke ganz erschöpft, legte er sich sofort wieder hin. *Warum*
                              2.
legte er sich sofort wieder hin? *Weil* er von der Jagd auf die Mücke ganz erschöpft

war.   3

Formen Sie die Partizipialkonstruktionen in Nebensätze (Hauptsätze) um (nach **11**
der Methode oben):

1. Betrunken wie er war, fand er nur mit Mühe den Weg nach Hause. 2. Auf einer Bank in der Sonne sitzend, ging ihr alles mögliche durch den Kopf. 3. Von seinem Professor dazu angeregt, las der Student das Buch. 4. So gesehen ist der Verkauf des Hauses natürlich ein Fehler. 5. Wir könnten Ihr Referat leicht überarbeitet in unserer Zeitschrift veröffentlichen.

Formen Sie die Partizipialsätze in Nebensätze um und umgekehrt: **12**

1. *Während eines Interviews nach ihrem Hobby gefragt,* sagte die Schauspielerin: „Deutschlernen!" 2. *Nachdem er die Wohnung aufgeräumt und das Essen gekocht hatte,* fühlte er sich auf den Besuch der Schwiegermutter gut vorbereitet. 3. *Durch den ständigen Lärm in seiner Arbeit gestört,* verlor er die Geduld und verließ die Wohnung, *wobei er die Türen knallte.* 4. *Vor Kälte mit den Zähnen klappernd,* planschte das Kind im Wasser herum und rief: „Ich bleibe noch drin, ich friere gar nicht!" 5. *Frisch gewaschen und neu eingekleidet,* machte er sich auf den Weg zu seiner Erbtante. 6. *Als sie von München abgereist waren,* merkten sie, daß in ihrer Reisegruppe einer fehlte. 7. *Vor Freude weinend,* nahm sie den Lottogewinn entgegen. 8. *Von der herrlichen Aussicht zwar beeindruckt,* wollte sie doch lieber wieder umkehren. 9. *Indem er seinen Befürchtungen Ausdruck verlieh,* sprach er das aus, was alle Anwesenden dachten. 10. Sie reiste bald wieder ab, *weil sie von der Stadt enttäuscht war.* 11. *Anders ausgedrückt,* hätte es nicht so beleidigend gewirkt.

Lesetext 2

A) Bastelanleitung für einen Trinkbecher

Ein quadratisches Blatt in der Mitte schräg zu einem Dreieck   wird
falten. Dann die rechte Ecke nach links herüber an die linke   man
Seite hin knicken. Darauf die linke Ecke nach hinten herum in   ist zu
den entstandenen stumpfen Winkel legen und falten. Von den   Die zwei
beiden Dreiecken oben eins nach vorn, eins nach hinten um-
schlagen und knicken. Dann durch Einschieben der einen Hand   wobei man
und leichtes Zusammendrücken der Längsseiten mit der ande-   schiebt man
ren Hand den Becher auseinanderdrücken.   so daß man

Übung

13
1. Formen Sie den Text mit den Angaben am Rand um.
2. Basteln Sie den Becher. Dabei geht es nicht darum, daß Sie ihn möglichst schnell und auf jeden Fall herstellen, sondern daß Sie angeben, wo die Bastelanleitung ausreicht, an welchen Stellen Schwierigkeiten beim Verständnis der Anleitung und beim Falten entstehen, und wo Sie die Abbildungen S. 45 zu Hilfe nehmen müssen.
3. Versuchen Sie nun herauszufinden, ob die Schwierigkeiten auftraten, weil die Formulierungen im Text unklar und weil die Begriffe unverständlich sind.
4. Ändern Sie die Bastelanleitung so, daß die Angaben zum Bau des Bechers eindeutig und gut verständlich sind.

B) Spielanleitung zu „Der verschwundene Ehemann"

Ein Ehemann ist mit dem gesamten Schmuck seiner Frau   davongemacht,
durchgebrannt und spurlos verschwunden. Die Angehörigen   aufzufinden
der Frau setzen natürlich alles daran, ihn aufzuspüren.   versuchen
Das ist die Ausgangssituation des Spiels. Alle Mitspieler dürfen   so tun
nun behaupten, sie wüßten ganz genau, wo sich der Mann be-   Aufenthaltsort,
finde. Ein Spieler beginnt und beschreibt jenen Ort (oder jene   Anfang, Be-
Landschaft), wo sich der Mann aufhält, ohne jedoch den Namen   schreibung
zu nennen, und alle anderen müssen raten. Wer als erster her-
ausfindet, wo sich der Mann versteckt hält, bekommt einen   Versteck erraten,
Pluspunkt und darf den Erzähler ablösen. Er beginnt dann mit   als nächster
der Beschreibung einer ganz anderen Gegend, denn der Mann
hat natürlich die Verfolger bemerkt und ist woandershin ge-   aufgefallen
flohen.   Schlupfwinkel
z. B. „Der Mann sitzt auf der Terrasse eines Kaffeehauses und
trinkt schwarzen Kaffee aus kleinen Täßchen. Ihm ist sehr heiß,
aber er hat eine Jacke neben sich liegen, denn abends wird es
sehr kühl und . . .

Übung

1. Formen Sie den Text mit den Angaben am Rand um.
2. Versuchen Sie, in Gruppen zu dritt und zu viert unklare und ungenaue Stellen in der Spielanleitung herauszufinden und besser zu formulieren. Halten Sie die Verbesserungsvorschläge schriftlich fest.
3. Spielen Sie das Spiel!

C) Zur Anwendungsweise eines Medikaments

Streifen in beide Hände nehmen. Mit dem Daumen auf die in   wobei
Klarsichtfolie eingesiegelte weiße Tablette drücken. Die grüne
Folie öffnet sich, und die Tablette fällt unberührt ins Glas.   ohne
Zur Erzielung der schnellsten und bestmöglichen Wirkung soll-   damit
ten die Tabletten vor dem Einnehmen in Wasser ganz zerfallen.   bevor
Anstelle von Wasser können Sie auch – je nach Ihrem Ge-   Statt in
schmack – Sprudel oder Limonade nehmen. Nach dem Einneh-   Nachdem
men soll reichlich Flüssigkeit nachgetrunken werden.

Übung

1. Formen Sie den Text mit den Angaben am Rand um.
2. Schreiben Sie den Text so um, daß klar wird
    a) um was für einen Streifen es sich handelt
    b) welche Seite des Streifens nach unten zu halten ist
    c) was man tun muß, bevor man die Tablette aus dem Streifen drückt
    d) was und wieviel sich in dem Glas befindet.
3. Beantworten Sie folgende Fragen mit eigenen Worten:
    a) Wie erreicht man, daß die Tablette unberührt ins Glas fällt?
    b) Warum sollte man warten, bis sich die Tablette im Wasser aufgelöst hat, bevor man die Flüssigkeit trinkt?
    c) Mit welchen Getränken kann man die Tablette einnehmen, mit welchen sollte man es nicht tun?

zu A)   *zu C)*

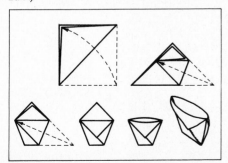 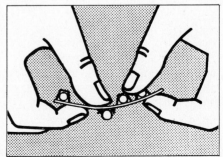

Kapitel 5

Lesetext 1

Die Unwirtlichkeit unserer Städte
von Alexander Mitscherlich

Ist für ein Kind kein Eigenraum in der Wohnung gegeben, dann kollidiert es ununterbrochen mit der Mutter und mit anderen Erwachsenen bei deren Tätigkeiten. Die wachsenden Lebenskosten, die immer mehr Investition bezahlter Arbeit von Vater und Mutter notwendig machen, bewirken bei der Mutter zusammen mit dem
5 Gefühl, daß ihre Tätigkeit in dieser Gesellschaft unterprivilegiert ist, leicht einen permanenten Zustand der Gereiztheit. Sie reagiert dann gar nicht aus der Einfühlung in ihr Kind, was ihr leicht möglich wäre, wenn sie ihm gelassen zuschauen könnte, sondern sie zwingt es frühzeitig zu einer *Überangepaßtheit,* die seinem Alter gar nicht entspricht, vielmehr frühzeitig die Autonomiebestrebungen durch
10 Strafandrohung zum Erlahmen bringt (. . .)
Die schäbige Bauweise unserer Häuser trägt aber nicht zuletzt Schuld an der frühzeitigen Verstümmelung der Initiative des Kindes, denn sein Triumph- oder Schmerzgeheul wird unvermeidlich zu einer Belastung für den weiteren Kreis der Mitbewohner, die an diesen Schwankungen der Gefühlswelt nicht unmittelbar
15 interessiert sind, deren bloß irritierte Zeugen sie werden. So wird das Kind von den gereizten Erwachsenen immer wieder zu einer ihm unnatürlichen Ruhe gezwungen, was die ambivalenten Gefühle füreinander auf beiden Seiten, der des Kindes wie des Erwachsenen, ungut steigert.

aus: Alexander Mitscherlich, Die Unwirtlichkeit unserer Städte. Anstiftung zum Unfrieden. Suhrkamp Verlag, Frankfurt, 1965. S. 90f.

Unsere Städte

Wortschatz

Zeile	Neuer Ausdruck Beispiel, bzw. etwas zur Wortfamilie	Erklärung des neuen Ausdrucks Erklärung des Beispiels
0	die Unwirtlichkeit Wir fuhren durch eine ziemlich unwirtliche Gegend. der Wirt bewirten	Eine Gegend, in der man sich nicht gern aufhält: es ist dort sehr einsam und es wächst dort kaum etwas. Gästen zu essen und zu trinken geben
6	die Gereiztheit Wegen der vielen Arbeit war die Sekretärin etwas gereizt. Sie antwortete dem Studenten ziemlich gereizt. Es würde mich reizen, Japanisch zu lernen. Es war ein reizender Abend. Was für ein reizendes Kind!	angespannter Zustand, in dem man sich schnell ärgert und leicht erregbar ist Ich fände es interessant, Japanisch zu lernen. Es war ein netter, anregender Abend. Was für ein liebes, hübsches Kind!
6f	die Einfühlung Man erwartet von einem guten Psychologen, daß er sich in die Lage seiner Patienten einfühlt. Ich bewundere sein Einfühlungsver- mögen.	 Ich bewundere seine Fähigkeit, sich in andere zu versetzen, zu spüren, was sie fühlen.
8	die Überangepaßtheit Wir hatten zuerst ziemliche Anpas- sungsschwierigkeiten nach unserer Ankunft in Deutschland.	Zustand, bei dem die Anpassung an die Umwelt individuelle Eigenschaften zu stark unterdrückt. Nach unserer Ankunft hatten wir Schwierigkeiten, uns an die neue Umgebung und an die Verhaltens- weise der Menschen hier zu gewöh- nen.
9	die Autonomiebestrebung besser: das Streben nach Autonomie zum Erlahmen bringen Die ständige Kritik seiner Frau an seiner Kochkunst brachte sein Inter- esse am Kochen zum Erlahmen.	der Drang, das Verlangen nach Selbstän- digkeit Weil ihn seine Frau ständig kritisierte, verlor er langsam das Interesse am Kochen.
11	schäbig die schäbige Bauweise schäbige Kleidung Er benahm sich seinen Verwandten gegenüber sehr schäbig.	durch Abnützung unansehnlich gewor- den; ärmlich; dürftig; geizig ≠ solide Bauweise Er benahm sich sehr unfreundlich oder geizig und kleinlich oder undankbar.

12	die Verstümmelung der Initiative des Kindes	die Initiative des Kindes wird eingeschränkt und unterdrückt.
14	die Schwankungen der Gefühlswelt	die unterschiedlichen Gefühle, z. B.: mal guter, mal schlechter Laune, mal fröhlich, mal traurig sein.
	Die Antenne schwankt im Wind.	Die Antenne bewegt sich im Wind hin und her.
	Der Kranke ging schwankend auf die Tür zu.	

Übungen

1 Erklären Sie Folgendes:

1. Das Kind kollidiert ununterbrochen mit der Mutter. (Z. 1 f) 2. Sie schaut dem Kind nicht mehr gelassen zu. (Z. 7) 3. Die Mitbewohner werden bloß irritierte Zeugen der Gefühlsschwankungen des Kindes. (Z. 14 f) 4. Anstiftung zum Unfrieden. (Z. 19)

2 Setzen Sie die fehlenden Präpositionen und Endungen ein:

1. Die Überbelastung bewirkt . . . d . . . Mutter leicht eine ständige Gereiztheit. 2. Sie reagiert nicht mehr . . . d . . . Einfühlung . . . d . . . Kind heraus. 3. Sie zwingt es dann . . . ein . . . Überangepaßtheit. 4. Die Bauweise der Häuser trägt wesentlich Schuld . . . d . . . Verstümmelung der Initiative des Kindes.

3 Übung zum Verständnis schwieriger Satzkonstruktionen. Lösen Sie die Sätze in Einzelaussagen auf:

1. Die ständig wachsenden Lebenskosten, die immer mehr Investition bezahlter Arbeit von Vater und Mutter notwendig machen, bewirken bei der Mutter zusammen mit dem Gefühl, daß ihre Tätigkeit in der Gesellschaft unterbewertet ist, leicht einen permanenten Zustand der Gereiztheit.
   a) Die Lebenskosten . . . .
   b) Das hat immer mehr zur Folge, ... sowohl . . . . berufstätig . . . .
   c) Die Arbeit der Mutter . . . . von der . . . . oft nicht genug . . . .
   d) Es ist deshalb nicht verwunderlich, ... sie ständig . . . . und leicht . . . . ist.
2. Sie reagiert dann gar nicht aus der Einfühlung in ihr Kind, was ihr leicht möglich wäre, wenn sie ihm gelassen zuschauen könnte, sondern zwingt es zu einer Überangepaßtheit, die seinem Alter gar nicht entspricht: so werden die natürlichen Autonomiebestrebungen des Kindes durch Strafandrohung frühzeitig zum Erlahmen gebracht.
   a) Sie reagiert nicht, indem sie sich . . . .
   b) Stattdessen zwingt sie das Kind dazu, ... mehr seiner Umwelt . . . . , als es . . . . richtig . . . . . .

c) Weil ihm die Mutter so oft .... droht, ... sein Verlangen . . .
.... frühzeitig ....

3. Die schäbige Bauweise unserer Häuser trägt nicht zuletzt Schuld an der frühzeitigen Verstümmelung der Initiative des Kindes, denn sein Triumph- oder
Schmerzgeheul wird unvermeidlich zu einer Belastung für den weiteren Kreis
der Mitbewohner, die an solchen Schwankungen der Gefühlswelt nicht unmittelbar interessiert sind, deren bloß irritierte Zeugen sie werden.
a) Weil so viele Häuser ziemlich ...., wird die Initiative des Kindes .
....
b) Wenn das Kind in seiner Freude oder vor .... laut schreit oder ....,
dann hören es die ....
c) Sie fühlen sich dadurch ...., denn sie interessieren sich nicht .....
.., welche Höhen und .... der .... das Kind durchläuft.
d) Die Nachbarn .... also gezwungen, irritiert .... ausbrüche . .
.... mitzuerleben.

Fragen zum Text: **4**

1. Welche Folgen kann es haben, wenn das Kind kein eigenes Zimmer oder nicht
einmal eine eigene Spielecke hat?
2. Wie erklären Sie es sich, daß so viele Mütter kleiner Kinder voll berufstätig sind?
3. Warum fühlen sich manche Mütter in der Gesellschaft unterbewertet?
4. Die Mutter ist gereizt; wie äußert sich das, wie verhält sie sich dem Kind gegenüber?
5. Was bedeutet „Überangepaßtheit" für das konkrete Verhalten des Kindes? Wie
verhält sich ein „überangepaßtes" Kind? Warum ist es schlecht für ein Kind,
wenn es für sein Alter „zu erwachsen" ist? Welche Bedeutung hat das Spielen
für das Kind?
6. Können Sie Beispiele geben für die typischen Strafandrohungen der Mütter,
nach dem Muster: „Wenn du nicht ......, dann .....!" Was bringt die Mutter
dazu, dem Kind mit solchen Strafen zu drohen?
7. Welche Schäden können solche Drohungen bei dem Kind verursachen?
8. Was kritisiert Mitscherlich (der Verfasser des Buches) an der Bauweise unserer
Häuser? Wie ist das in Ihrer Heimat? Haben die Kinder dort mehr Platz zur
Verfügung? Gehen die Erwachsenen dort mehr auf die Kinder ein? Warum
können Sie das?
9. Was bekommt ein Kind ständig zu hören, wenn es in einer Wohnung mit zu
dünnen Wänden lebt? Welche Auswirkungen hat das auf das Verhältnis „Er-
wachsener – Kind"? Welche „ambivalenten Gefühle" werden da gesteigert?

Themen für Aufsätze, Referate, Diskussionen: **5**

1. Halten Sie es aus Ihrer eigenen Erfahrung für tatsächlich so wichtig, daß das
Kind ein eigenes Zimmer bzw. eine eigene Spielecke in der Wohnung hat? Hat
es einen wesentlichen Einfluß auf die Entwicklung des Kindes?
2. Vergleichen Sie die Situation der Kinder in modernen Großstädten, in Kleinstäd-

ten und auf dem Land! Warum leben so viele Familien lieber in der Stadt? Wie müßte man die Städte verändern, damit sie „kindergerecht" würden?

3. Man wirft den Deutschen oft Kinderfeindlichkeit vor. Ist das richtig? Welche Gründe hat Ihrer Meinung nach diese „Kinderfeindlichkeit"?

4. Glauben Sie, daß die sogenannte antiautoritäre Erziehung dazu beiträgt, daß „die ambivalenten Gefühle füreinander auf beiden Seiten, der des Kindes wie des Erwachsenen, ungut" verändert werden?

5. In welchen Situationen wird es notwendig, auf das Kind erzieherisch einzuwirken? Geben Sie möglichst konkrete Beispiele dafür!

6 Übung zur Erweiterung des Wortschatzes und zur Sprechfähigkeit:
I) Erklären Sie folgende Wendungen und Sprichwörter mit eigenen Worten und beschreiben Sie Situationen, in denen sie zu hören sind.
II) Nehmen Sie Stellung zu den Ansichten, die hier zum Ausdruck kommen.

1. Sprich nur, wenn du gefragt wirst! 2. Kindermund tut Wahrheit kund! 3. Wer nicht hören will, muß fühlen! 4. Narrenhände beschmieren Tisch und Wände. 5. Sie hat eine gute Kinderstube. 6. Bei uns wird gegessen, was auf den Tisch kommt! 7. Nimm dir ein Beispiel an Otto, der kann das schon lange! 8. Kinder soll man sehen und nicht hören. 9. Ein Junge weint doch nicht! 10. Gleich rutscht mir die Hand aus! 11. Wie man ißt, so schafft man. 12. Der Apfel fällt nicht weit vom Baum. 13. Wir hätten uns sowas früher als Kinder nie erlauben dürfen!

Zur Grammatik

Zeile 11 ff:
„Die schäbige Bauweise trägt nicht zuletzt Schuld an der frühzeitigen Verstümmelung der Initiative des Kindes, *denn* sein Triumph- und Schmerzgeheul wird . . . zu einer Belastung für . . . die Mitbewohner . . ."

Kausal, Konditional, Konsekutiv, Final Konzessiv

1. **Kausal** Präpositionen	Kasus	Konjunktionen, Satzverbindungen			
		Grund		**Folge**	
wegen	G	weil	NS	. . ., deswegen	HS I./S.
dank	D	. . ., denn	HS O.	. . ., deshalb	HS I./S.
kraft	G	da	NS	. . ., darum	HS I./S.
laut	G	nun da	NS	. . ., daher	HS I./S.
angesichts	G	. . ., zumal	NS	. . ., weshalb	NS
		. . ., um so mehr als	NS	. . ., warum	NS
		dadurch daß	NS	. . ., weswegen	NS

aus	D	weil (so) o. ä.	NS ...		
vor	D	...so	HS ...+	, daß	NS
in	D	...sehr	HS ...+	, so daß	NS
durch	A	1. Kausal (s. o.) oder			
mit	D	bzw. und			
		2. Modal (s. S. 65) oder			
		bzw. und			
		3. Konditional (s. u.)			
von	D	1. Kausal (s. o.)			
unter	D	oder			
bei	D	2. Konditional (s. u.)			
auf (A) ... (hin)					

Erklärung:

Weil er sich freute, sprang er auf.	**NS**
Er sprang auf, weil er sich freute.	NS
Er sprang auf, denn er freute sich.	**HS**
Er freute sich, deshalb sprang er auf.	HS

Stellen im **HS**:   **O.**   **I.**   **II.**   **S.** (= im Satzfeld)

Beispiele   **nominal ⇌ verbal**

1. *Wegen* seines Charmes ist er bei den Frauen so beliebt.   *Weil* er so charmant ist, ist er ...

2. *Dank* seiner Beredsamkeit konnte er schon manch schöne Dame für sich gewinnen.   Er konnte schon manch schöne Dame für sich gewinnen, *denn* er ist sehr beredt.

3. *Mangels* natürlicher Schönheit muß er eben zu anderen Mitteln greifen.   *Da* es ihm an natürlicher Schönheit fehlt, muß er ...

4. *Angesichts* seines spärlichen Haarwuchses trägt er ein Toupet.   Er hat nur wenig Haare, *deshalb* trägt er ein Toupet.

5. *Bei* seiner Leibesfülle muß er sich an eine Diät halten.   Er ist sehr dick, *weswegen* er sich an eine Diät halten muß.

6. *Mit* seiner Kurzsichtigkeit bleibt ihm nichts anderes übrig, als eine dicke Brille zu tragen.   *Dadurch daß* er so kurzsichtig ist, bleibt ihm ...

7. *Vor* Aufregung stottert er immer ziemlich stark.   *Weil* er immer so aufgeregt ist, stottert er ziemlich stark.

8. *Durch* ein ständiges leichtes Zittern der Hände führt er oft peinliche Situationen herbei.   ...., *deswegen* ....

9. *Auf* eine unangenehme Begegnung mit einem bissigen Hund *hin* hinkt er jetzt auch noch.   *Weil* ....

10. *Von* einem zu langen Flirt in praller ....
Sonne hat er nun eine ganz geröte- ...., *daher* ....
te Gesichtshaut. ....

7 Aufgabe: Formen Sie S. 51 f die Beispielsätze 8–10 mit den Angaben um.

2. **Konditional**				
Präposi-tionen		Konjunktionen, Satzverbindungen		
	Kasus	(**Grund**) **Bedingung**	**Folge**	
im Falle	G ⎫	wenn	NS	
von	D ⎪	falls	NS	
unter	D ⎪	im Falle, daß	NS	
bei	D ⎬	vorausgesetzt, daß	NS	
auf (A)... (hin)	⎪	sofern	NS	
mit	D ⎪			
durch	A ⎭			
nur bei	D ⎫	bevor + neg. ...... NS +	... neg (!)	HS
erst auf	A ⎬	... es sei denn, daß NS		
o. ä.	⎭	... es sei denn HS	⎧ so	HS
im Falle	G ⎫	Verb (I.) .... +	⎨ dann	HS
o. ä.	⎭	(ohne Konjunktion)	⎩ Verb	HS
bei	D ⎫	je + Komp. .... NS +	desto + Komp.	HS
o. ä.	⎭	... um so + Komp. HS +	je + Komp.	NS
		(Folge)	(Grund)	

Beispiele   **nominal ⇌ verbal**

1. *Im Falle* einer Panne fahren Sie so-fort langsam an den rechten Stra-ßenrand.
   Falls Sie eine Panne haben, fahren Sie ...

2. Allein *vom* Rumstehen wird das Auto nicht wieder heil.
   Wenn .... *nur* ....
   ....

3. Ein Radwechsel läßt sich oft *nur un-ter* Aufbietung aller Kräfte bewerk-stelligen.
   ....
   wenn ....
   ....

4. *Bei* günstiger Witterung können Sie natürlich zu Fuß weitergehen.
   ....
   sofern ....

5. *Auf* Ihr Winken hin wird nicht unbe-dingt gleich jemand anhalten und Sie mitnehmen.
   Wenn ....
   ....

6. *Erst auf* eine Anzahlung hin wird man Ihren Wagen abschleppen.

Bevor Sie *nicht* eine Anzahlung geleistet haben, wird man Ihren Wagen auch *nicht* abschleppen.

7. *Nur mit* einem guten Trinkgeld wird Ihr Auto gleich repariert.

Ihr Auto wird (meist) *nicht* gleich repariert, *es sei denn, daß* Sie ein gutes Trinkgeld geben.

8. *Bei* angeschlagenen Nerven sollten Sie dann ein kleines Bier trinken.

Sind Ihre Nerven dann angeschlagen, *so* sollten Sie ein kleines Bier trinken.

9. Denken Sie in Zukunft daran: *Mit* zunehmender Geschwindigkeit steigt die Wahrscheinlichkeit, daß etwas passiert.

Je schneller Sie fahren, *desto* wahrscheinlicher ist es, daß . . .

Aufgabe: Formen Sie S. 52 die Beispiele 2.–5. mit den angegebenen Konjunktionen um. **8**

3. Konsekutiv

Präpositionen		Konjunktionen, Satzverbindungen			
	Kasus	**Grund**		**Folge**	
infolge	G	...so	HS S ⎫		
zu + {Adj. für} A, {Adv. zu} D		...dermaßen	HS S ⎪	+ daß	NS
		...solch	HS S ⎬		
		...derartg	HS S ⎭		
				..., deshalb	HS I./S.
				..., darum	HS I./S.
				..., deswegen	HS I./S.
				..., daher	HS I./S.
		...zu	HS S	+ als daß + Konj. II (= *negativ!*)	NS

Beispiele **nominal ⇌ verbal**

1. *Infolge* des starken Alkoholgenusses am gestrigen Abend sah er heute morgen weiße Mäuse auf seiner Bettdecke.

Er hatte gestern abend *so* viel Alkohol getrunken, *daß* er heute morgen weiße Mäuse auf seiner Bettdecke sah.

2. Er war *zu* müde *für* einen Spaziergang.

Er war *zu* müde, *als daß* er einen Spaziergang hätte machen können.

53

4. Final

Präposi-tionen		Konjunktionen, Satzverbindungen	
	Kasus	**Grund**	**Folge**
zu	D ⎫		. . ., damit NS
für	A ⎪		. . ., um . . . zu Inf.
zwecks	G ⎬		
um G . . . willen	⎭		

Beispiele **nominal ⇌ verbal**

1. Agatha lernt Deutsch *für* ein Studium   . . . .
   in der BRD.   *um* . . . .*zu* . . . .
2. Alfonso lernt Deutsch *zum* Zeitver-   . . . .
   treib.   *um* . . . .
3. Penelope lernt Deutsch *zwecks* einer   . . . .
   besseren Anstellung.   *um* . . . .
4. Hüseyin lernt Deutsch *um* des häusli-   Hüseyin lernt Deutsch, *damit* es zu
   chen Friedens *willen.*   Hause keinen Streit gibt.

9 Aufgabe: Formen Sie oben die (Final-)Sätze 1–3 und S. 55 die (Konzessiv-)Sätze 2 und 5 verbal um.

5. Konzessiv

Präposi-tionen		Konjunktionen, Satzverbindungen			
	Kasus	**Grund**		**Folge**	
trotz	G ⎫	obwohl	NS	. . ., trotzdem	HS I./S.
ungeachtet	G ⎭	obgleich	NS	. . ., dennoch	HS I./S..
		obschon	NS		
		selbst wenn	NS		
		. . . und wenn	NS		
		wenn auch	NS		
		Verb (I.) . . . . HS + ⎰ so			HS I.
		(ohne Konjunktion) ⎱ Subj.			HS I.
		mögen . . . auch . . . . HS + ⎰ so			HS I.
		⎱ Subj.			HS I.
		zwar . . . . HS I./S. ⎱ + ⎰ aber ⸌			HS O.
		. . . wohl . . . . . . HS I./S. ⎰ ⎱ doch			HS O.

54

bei all D ⎫	obwohl + sehr . . . .NS	
auch bei D ⎭	(o. ä.)	

wie + { Adj. / Adv. } + auch . .NS +   { so / Subj. }   HS I. / HS I.

Beispiele   **nominal ⇌ verbal**

1. *Trotz* mancher Schwierigkeiten soll-   *Wenn* Sie *auch* manche Schwierigkeiten Sie weiter Deutsch lernen.   ten haben, sollten Sie . . .

2. *Ungeachtet* vieler Probleme sollten   *Selbst wenn* . . . .
Sie sich zur Prüfung anmelden.   . . . .

3. *Auch bei* ziemlich entmutigenden   *Wie* entmutigend Ihre Erfahrungen
Erfahrungen sollten Sie nicht auf-   *auch* sein mögen, *Sie* sollten nicht aufgeben.   geben.

4. *Bei all* Ihrer Gründlichkeit werden   *Mögen* Sie *auch* noch so gründlich
Sie wohl immer wieder etwas finden,   sein, *so* werden Sie wohl immer etwas
was Ihnen neu ist.   finden, . . .

5. *Trotz* des hohen Schwierigkeitsgrads   . . . . *zwar* . . . . ,
der Prüfungen werden Sie sie sicher   *aber* . . . .
bestehen.   . . . .

Formen Sie die präpositionalen Ausdrücke mit den Angaben in Klammern in Ne-   **10**
ben- oder Hauptsätze um (kausal, konditional) wie in den Beispielen oben:

1. *Vom vielen Biertrinken* nahm er in kurzer Zeit entsetzlich zu. (deshalb) 2. *Wegen seines Übergewichts* hat er immer wieder Krach mit seiner Freundin. (weil, zu viel) 3. *Nur durch eine schnelle Abmagerungskur* könnte er verhindern, daß sie ihn verläßt. (wenn) 4. *Bei seiner hauptsächlich sitzenden Arbeitsweise* wird ihm das Abnehmen schwerfallen. (zumal, arbeiten) 5. *Auf Verlangen seiner Freundin* nimmt er jetzt nur noch Yoghurt, Kartoffeln und Saft zu sich. (weil) 6. *Aus Angst vor neuen Auseinandersetzungen* hält er sich genau an diese Diät. (denn) 7. Neulich hat er aber *vor Wut über das langweilige Essen* einen Teller an die Wand geworfen. (so . . . daß) 8. *Nur bei einer Gewichtsabnahme von 20 kg* wird er wieder glücklich sein. (bevor nicht)

Formen Sie die Sätze mit den angegebenen Ausdrücken um: **11**

1. *Kraft seines Amtes* ist er befugt, diese Gelder einzusammeln.
Da . . . . bekleidet, darf er . . . .

2. *Laut Paragraph XY der Straßenverkehrsordnung* dürfen Sie hier weder parken noch halten.
Paragraph XY der Straßenverkehrsordnung besagt, daß . . . .
. . . . , deshalb müssen Sie . . . .

3. *Angesichts der schlechten Lage auf dem Baumarkt* wird sich die Firma glücklich schätzen können, wenn sie nicht Pleite macht.
   Da . . . ., ...
   . . . .
4. *Mangels Interesse seitens des Publikums* mußte die Ausstellung frühzeitig geschlossen werden.
   . . . . das Publikum nicht so sehr . . . ., ...
   . . . .
5. *Infolge des plötzlichen Kälteeinbruchs* ist mit Glatteis zu rechnen.
   Es ist . . . . so . . . ., ... man . . . .
   . . . .
6. Konnten Sie vor der Prüfung nur *unter Zeitdruck* so viel leisten?
   Konnten Sie vor der Prüfung nur deshalb . . . ., ...
   . . . . .?
7. *Nur mit Ihrer Hilfe* werde ich es schaffen.
   Nur . . . ., ...
8. Ich finde die Zeit *zu kurz für mehr Übungen.*
   Ich finde wir haben . . . ., als daß . . . .

12 Antworten Sie mit Finalsätzen oder finalen Wendungen: (zu + D; um . . . zu + Inf; für + A; damit + NS)

Beispiel: Warum treiben Sie Sport?
  Für meine schlanke Linie. oder: Um mich fit zu halten.

1. Warum haben Sie ein Wörterbuch gekauft? 2. Weshalb hat die Frau einen Kuchen gebacken? 3. Wozu hält sich die alte Frau einen Kanarienvogel? 4. Was ist der Sinn der Vorschrift, daß man sich mit einem Autobusfahrer während der Fahrt nicht unterhalten darf? 5. Wozu benutzt man einen Leihbibliotheksausweis? 6. Wofür sollte man beim Schreiben von Aufsätzen immer nur jede zweite Zeile beschreiben? 7. Wozu betätigen Sie als Autofahrer beim Abbiegen den Blinker? 8. Warum haben viele Leute einen Hund? 9. Warum ist die Banane krumm!

13 Vervollständigen Sie die Sätze sinngemäß:

1. Obwohl die Prüfung als leicht galt, . . . 2. Man hatte sich in der Aufgabenstellung sehr beschränkt, trotzdem . . . 3. Man war sicher, nicht zu viel vorausgesetzt zu haben, nichtsdestoweniger . . . 4. Zwar muß man sich fragen, ob Tests dieser Art überhaupt sinnvoll sind, . . . 5. Wie gründlich der Stoff auch vorher besprochen worden war, . . .

14 Formen Sie die präpositionalen Ausdrücke in Neben- bzw. Hauptsätze um und umgekehrt.

1. *Infolge des Umbaus der Schule* mußte der Unterricht schon an mehreren Tagen in diesem Monat ausfallen. 2. *Weil sie eine ansteckende Krankheit hatte,* mußte sie in die Isolierstation gebracht werden. 3. Der Ort, wo meine Eltern wohnen, ist zu

weit weg, *als daß man einen Tagesausflug dorthin machen könnte.* 4. *Wegen Platzmangels* werden immer mehr Autos vor Ausfahrten und auf Gehwegen abgestellt. 5. *Um an der Universität studieren zu können,* sind ausreichende Deutschkenntnisse erforderlich. 6. Die Segelregatta findet auf jeden Fall statt, *es sei denn es kommt ein starker Sturm auf.* 7. *Die Frau erschrak so,* daß sie die Tasse fallen ließ. 8. *Im Falle eines Falles* klebt Uhu (= Klebstoff) wirklich alles. (Werbespruch) 9. *Bei all seiner Gründlichkeit* macht sein Arbeitszimmer doch einen sehr unordentlichen Eindruck. 10. *Je kälter es wird,* desto schwieriger wird es, die Bauarbeiten fortzusetzen. 11. *Zwecks besserer Zugänglichkeit* war vorgeschlagen worden, das Fotokopiergerät im Gang aufzustellen. 12. *Obwohl sich mein Mann sehr bemüht,* wird er wohl nie kochen lernen.

Lesetext 2

Über den Traum   *von Sigmund Freud*

In den Zeiten, die wir vorwissenschaftliche nennen dürfen, waren die Menschen um die Erklärung des Traumes nicht verlegen. Wenn sie ihn nach dem Erwachen erinnerten, galt er ihnen als eine entweder gnädige oder feindselige Kundgebung höherer, dämonischer und göttlicher Mächte. Mit dem Aufblühen naturwissenschaftlicher Denkweisen hat sich all diese sinnreiche Mythologie in Psychologie 5 umgesetzt, und heute bezweifelt nur mehr eine geringe Minderzahl unter den Gebildeten, daß der Traum die eigene psychische Leistung des Träumers ist.

Seit der Verwerfung der mythologischen Hypothese ist der Traum aber erklärungsbedürftig geworden. Die Bedingungen seiner Entstehung, seine Beziehung zum 10 Seelenleben des Wachens, seine Abhängigkeit von Reizen, die sich während des Schlafzustandes zur Wahrnehmung drängen, die vielen dem wachen Denken anstößigen Eigentümlichkeiten seines Inhaltes, die Inkongruenz zwischen seinen Vorstellungsbildern und den an sie geknüpften Affekten, endlich die Flüchtigkeit des Traumes, die Art, wie das wache Denken ihn als fremdartig beiseite schiebt, in 15 der Erinnerung verstümmelt oder auslöscht: – all diese und noch andere Probleme verlangen seit vielen hundert Jahren nach Lösungen, die bis heute nicht befriedigend gegeben werden konnten. Im Vordergrunde des Interesses steht aber die Frage nach der Bedeutung des Traumes, die einen zweifachen Sinn in sich schließt. Sie fragt erstens nach der psychischen Bedeutung des Träumens, nach 20 der Stellung des Traumes zu anderen seelischen Vorgängen und nach einer etwaigen biologischen Funktion desselben, und zweitens möchte sie wissen, ob der Traum deutbar ist, ob der einzelne Trauminhalt einen ,,Sinn'' hat, wie wir ihn in anderen psychischen Kompositionen zu finden gewöhnt sind.

aus: Sigmund Freud, Über Träume und Traumdeutungen, in: Gesammelte Werke Band II/III. Abdruck mit Genehmigung der S. Fischer Verlag GmbH, Frankfurt am Main.

Übungen

15 Erklären Sie folgende Textstellen:

1. Die Menschen waren um die Erklärung des Traumes nicht verlegen (Z. 1 f) 2. Der Traum galt als eine entweder gnädige oder feindselige Kundgebung höherer, dämonischer und göttlicher Mächte (Z. 3 f) 3. Nur mehr eine geringe Minderzahl unter den Gebildeten (Z. 6 f) 4. Der Traum ist die eigene psychische Leistung des Träumers. (Z. 7) 5. Seit der Verwerfung der mythologischen Hypothese (Z. 9 f) 6. Der Traum ist erklärungsbedürftig geworden. (Z. 9 f)

16 Suchen Sie Synonyme zu folgenden Wörtern:
1. nennen (Z. 1) 2. anstößig (Z. 12 f) 3. befriedigend (Z. 17 f) 4. zweifach (Z. 19)

17 Beantworten Sie folgende Fragen ausführlich:

1. Wie erklärte man sich im sog. vorwissenschaftlichen Zeitalter die Träume?

2. Zu welchen Fragen zum Phänomen „Traum" sucht man heutzutage nach Lösungen?
   Lesen Sie Z. 9 – Z. 16 noch einmal genau durch, vervollständigen Sie dann folgende Fragen u. suchen Sie soweit möglich, eine Antwort.

a) Was . . . . d. . . . Bedingungen . . . . eines Traumes?

b) Welche Beziehungen . . . . und dem Seelenleben des Wachens?

c) . . . . Reize . . . . außen sind . . . . Bedeutung . . . . d. . . Entstehung . . . . . . Traumes?

d) . . . . . lassen . . . . d. . . vielen Eigentümlichkeiten seines Inhalts . . . ., ... man in wachem Zustand anstößig . . . .

Antworten, Beispiele:

. . . .
. . . .
. . . .
. . . .
. . . .
. . . .
. . . .
. . . .
. . . .
. . . .

Können Sie Beispiele geben?
. . . .
. . . .

Sie hören im Halbschlaf z. B. das Telefon klingeln; was würde man daraufhin vielleicht träumen?

. . . .
. . . .
. . . .
. . . .
. . . .
. . . .
. . . .

e) Wie ist die Inkongruenz . . . . d. . .
   Vorstellungsbildern d. . . Traumes
   und den . . . . . . verbundenen Affekten zu . . . .

Was meint Freud damit?
. . . .
. . . .
. . . .
. . . .

f) Weshalb . . . . das wache Denken
   d. . . Traum . . . . fremdartig beiseite?

Können Sie sich an Ihre Träume
erinnern?
. . . .
. . . .

Formen Sie die Sätze um, indem Sie das Wort „drängen" (Z. 12) oder Komposita **18**
verwenden (auch Substantive):

1. Wenn man traumatische Erlebnisse *ins Unbewußte zurückschiebt*, kann es zu
   schweren psychischen Schäden kommen.
   Die . . . . , ... kann zu
   schweren psychischen Schäden führen.
2. Ein guter Analytiker *versucht nicht, seine Patienten zu zwingen*, ihm alles zu
   erzählen.
   Ein guter Analytiker . . . ., ihm alles zu erzählen.
3. Die Bedrohung durch wilde Tiere im Traum kann ein Zeichen dafür sein, daß
   sich der Patient in schwerer *seelischer Not* befindet.
   In manchen Träumen äußert sich die schwere . . . ., ...
   der Patient . . . ., daß er von wilden Tieren bedroht wird.

Verwenden Sie statt der schräg gedruckten Satzteile – „schließen" (Z. 20) und **19**
Komposita – andere Ausdrücke, deren Stamm aus anderen Verben besteht:

1. Ihr *Entschluß* zum Kauf des Hauses kam sehr schnell.
   Sie haben . . . ., das Haus . . . .
2. Ich *schließe* aus Ihren Worten, daß Sie zufrieden sind.
   Ich . . . ., daß Sie zufrieden sind.
3. Sie haben aber heute auch ein gutes Geschäft *abgeschlossen*.
   Sie können . . . ., das Sie . . . .,
   wirklich freuen.

Kapitel 6

Lesetext 1

Bulemanns Haus *von Theodor Storm* (Auszug)

Als Herr Bulemann, der schon wieder über seinen Zahlentafeln saß, einen Blick zu seinen Katzen hinüberwarf, stieß er entsetzt seinen Drehstuhl zurück und blieb mit ausgestrecktem Halse stehen. Dort, mit leisem Winseln standen sie zitternd mit geringelten Schwänzen, das Haar gesträubt; er sah es deutlich, sie dehnten sich,
5 sie wurden groß und größer.
Noch einen Augenblick stand er, die Hände an den Tisch geklammert; dann plötzlich schritt er an den Tieren vorbei und riß die Stubentür auf. „Frau Anken, Frau Anken!" rief er; und da sie nicht gleich zu hören schien, tat er einen Pfiff auf seinen Fingern, und bald schlurfte die Alte unten aus dem Hinterhause hervor und
10 keuchte eine Treppe nach der anderen herauf. „Sehen Sie sich einmal die Katzen an!" rief er, als sie ins Zimmer getreten war.
„Die hab ich schon oft gesehen, Herr Bulemann."
„Sehen Sie daran denn nichts?"
„Nicht daß ich wüßte, Herr Bulemann!" erwiderte sie.
15 „Was sind denn das für Tiere? Das sind ja gar keine Katzen mehr!" – Er packte die Alte an den Armen und rannte sie gegen die Wand. „Rotäugige Hexe!" schrie er, „bekenne, was hast du meinen Katzen eingebraut!"
Das Weib klammerte ihre knöchernen Hände ineinander und begann unverständliche Gebete herzuplappern.
20 Fortwährend plappernd und hüstelnd schlich sie aus dem Zimmer und kroch die Treppen hinab. Sie war wie verwirrt; sie fürchtete sich, ob mehr vor ihrem Herrn oder vor den großen Katzen, das wußte sie selber nicht. Hinten in ihrer Kammer holte sie mit zitternden Händen einen mit Geld gefüllten wollenen Strumpf aus ihrem Bett hervor. Denn sie wollte fort, um jeden Preis fort. Sie trat mit ihrem
25 Bündel aus dem Haus und verschloß sorgfältig mit einem großen Schlüssel die schwere eichene Tür, steckte ihn in ihre Ledertasche und ging dann keuchend in die finstere Stadt hinaus. –
Frau Anken ist niemals wiedergekommen, und die Tür von Bulemanns Haus ist niemals wieder aufgeschlossen worden.
30 Herr Bulemann hatte eine schlechte Nacht gehabt; das Kratzen und Arbeiten der Tiere gegen seine Kammertür hatte ihm keine Ruhe gelassen; erst gegen die Morgendämmerung war er in einen langen, bleiernen Schlaf gefallen. Als er endlich seinen Kopf mit der Zipfelmütze in das Wohnzimmer hineinsteckte, sah er die beiden Katzen laut schnurrend mit unruhigen Schritten umeinander hergehen. Es
35 war schon nach Mittag. „Sie werden Hunger haben, die Bestien", murmelte er. Dann öffnete er die Tür nach dem Flur und pfiff nach der Alten. Zugleich aber

drängten die Katzen sich hinaus und rannten die Treppe hinab, und bald hörte er von unten aus der Küche herauf Springen und Tellergeklapper. Sie mußten auf den Schrank gesprungen sein, auf den Frau Anken die Speisen für den anderen Tag zurückzusetzen pflegte. 40
Herr Bulemann stand oben an der Treppe und rief laut und scheltend nach der Alten; aber nur das Schweigen antwortete ihm oder von unten herauf aus den Winkeln des alten Hauses ein schwacher Widerhall. Schon wollte er selbst hinabsteigen, da polterte es drunten auf den Stiegen, und die beiden Katzen kamen wieder heraufgerannt. Aber das waren keine Katzen mehr; das waren zwei furcht- 45 bare, namenlose Raubtiere. Die stellten sich gegen ihn, sahen ihn mit ihren glimmenden Augen an und stießen ein heiseres Geheul aus. Er wollte an ihnen vorbei, aber ein Schlag mit der Tatze, der ihm einen Fetzen aus dem Schlafrock riß, trieb ihn zurück. Er lief ins Zimmer; er wollte ein Fenster aufreißen, um die Menschen auf der Gasse anzurufen; aber die Katzen sprangen hinterdrein und kamen ihm 50 zuvor. Grimmig schnurrend, mit erhobenem Schweif, wanderten sie vor den Fenstern auf und ab. Herr Bulemann rannte auf den Flur hinaus und warf die Zimmertür hinter sich zu; aber die Katzen schlugen mit der Tatze auf die Klinke und standen schon vor ihm an der Treppe. – Wieder floh er ins Zimmer zurück, und wieder waren die Katzen da. 55

Theodor Storm, Bulemanns Haus, in: Deutschland erzählt, Fischer Bücherei, Band 711, Frankfurt, 1971, S. 282ff (gekürzt und etwas geändert).

„Sie wurden groß und größer."

Wortschatz

Zeile	Neuer Ausdruck Beispiel, bzw. etwas zur Wortfamilie	Erklärung des neuen Ausdrucks Erklärung des Beispiels
3	das Winseln	klägliches Weinen, Wimmern, Jammern, normalerweise von Hunden
9	schlurfen	beim Gehen die Füße nicht vom Boden heben
10	keuchen heraufkeuchen	schwer atmen, schnaufen schnaufend nach oben kommen
17	bekennen	gestehen; öffentlich zugeben, seine Meinung sagen

17	einbrauen (veraltet)
	   die Brauerei
		kochen und zu essen geben
		   Betrieb, wo Bier gebraut, hergestellt wird

19	herplappern	wie ein Kind reden; schnell und etwas unverständlich sprechen
25	das Bündel	ein an allen vier Ecken zusammengebundenes Tuch, in dem man etwas tragen kann; etwas mit einer Schnur, einem Draht Zusammengehaltenes
	Du kannst dein Bündel packen und gehen. binden	Du kannst deine Sachen packen und gehen oder ausziehen

27	finster
	   Er machte ein finsteres Gesicht.
		sehr dunkel, etwas unheimlich
		   Man sah ihm seine unfreundliche, drohende Haltung am Gesicht an.

32	ein langer bleierner Schlaf	ein langer schwerer, meist traumloser Schlaf
34	schnurren	leises Geräusch, das Katzen von sich geben, meist wenn sie zufrieden sind, sich wohl fühlen
43	der Widerhall	das Echo
44	poltern	lautes Geräusch, z. B. wenn man über Holztreppen läuft oder etwas Schweres fallen läßt oder fest an eine Wand klopft
46 f	glimmen Das Feuer glimmt nur noch.	schwach leuchten, brennen, glühen
48	die Tatze	die Pfote großer Tiere, der Raubkatzen
51	der Schweif	langer, buschiger Schwanz, meist bei größeren Tieren
	Bleiben wir bei der Sache; schweifen Sie nicht vom Thema ab!	Entfernen Sie sich nicht zu weit vom Thema!

Übungen

Formen Sie folgende Textstellen mit den Verben am Rand um: **1**
1. Noch einen Augenblick stand er, die Hände an den Tisch
   geklammert. (Z. 6)   festhalten
2. Sie war ins Zimmer getreten. (Z. 11)   betreten
3. Sie wollte fort. (Z. 24)   verlassen
4. Sie stellten sich gegen ihn. (Z. 46)   entgegenstellen
5. Sie kamen ihm zuvor. (Z. 50 f)   dasein
6. Die Katzen schlugen mit der Tatze auf die Klinke. (Z. 53)   öffnen

Finden Sie für die folgenden z. T. etwas ungewöhnlichen bzw. veralteten Wendun- **2**
gen Formulierungen, die heute gebräuchlicher wären:
1. Er schritt plötzlich an den Tieren vorbei. (Z. 7) 2. „Sehen Sie daran denn
nichts?" (Z. 13) 3. Er rannte die Alte gegen die Wand. (Z. 16) 4. „Bekenne, was hast
du meinen Katzen eingebraut?" (Z. 17) 5. Fortwährend plappernd schlich sie aus
dem Zimmer. (Z. 20) 6. Frau Anken pflegte die Speisen für den anderen Tag auf den
Schrank zurückzusetzen. (Z. 39 f)

Übung zur Wortschatzerweiterung und Ausdruckfähigkeit: **3**
Suchen Sie mindestens sieben Verben aus dem Text, mit denen die Bewegung,
das Verhalten der Katzen beschrieben wird. Bilden Sie mit diesen Verben neue,
eigene, möglichst treffende Beispielsätze.
z. B. Sie dehnten sich. (Z. 4)
a) Die Katze dehnte und streckte sich, als sie hinter dem Ofen hervorkam, wo sie
   geschlafen hatte.
b) Wenn ich aufwache, muß ich mich zuerst dehnen und strecken, bevor ich auf-
   stehe.
   oder: Dehne den Pullover nicht so beim Anziehen!
   oder: Für manche Ausländer ist es schwierig zu hören, ob in einem Wort ein
   Vokal gedehnt wird oder nicht.

Beantworten Sie folgende Fragen zum Text mit eigenen Worten: **4**
1. Was sah Herr Bulemann, als er sich nach seinen Katzen umwandte?
2. Wie reagierte er darauf?
3. Wie behandelt er seine Haushälterin, Frau Anken? Warum nennt er sie eine
   Hexe? Was schließen Sie daraus für Herrn Bulemanns Charakter? Was für ein
   Mensch ist er?
4. Warum will Frau Anken nicht länger in dem Haus bleiben?
5. Beschreiben Sie mit eigenen Worten ihr Weggehen. Woher hatte sie wohl das
   Geld? Was hatte sie in ihrem Bündel?
6. Wie verbringt Bulemann die Nacht?
7. Was geschieht am nächsten Tag? Wie verhalten sich die Katzen?
8. Welche Bedeutung haben Katzen meist für die Menschen, die sie halten? Welche Bedeutung hat das Verhalten der Tiere in der Geschichte aus „Bulemanns
   Haus"?

9. Wie wirken die Katzen auf Sie als Leser?
10. Welche Stellen im Text sind wie im Märchen oder im Traum?
11. Welche Bedeutung haben Tiere in der Mythologie, in den Religionen? Geben Sie Beispiele!

Zur Grammatik

Zeile 3 f:
„Dort, *mit leisem Winseln* standen sie *zitternd mit geringelten Schwänzen, das Haar gesträubt*"
Dort standen sie, zitterten *und* winselten leise *dabei,* ihre Schwänze waren geringelt *und* sie hatten die Haare gesträubt.

Modalsätze

Präpositionen Kasus		Beispiele	Konjunktionen, Satzverbin- dungen	
mit	D	Mit ihrer Unsicherheit hat sie schon manche gute Chance verpaßt.	dadurch⎫ damit ⎬ daß NS	
mittels	G	Heben Sie den Deckel mittels eines Schraubenziehers ab.	indem	NS
in	D	In höchster Eile packte er seine Sachen zusammen.	wobei	NS
durch	A	Durch sein verfrühtes Lachen verriet er alles.	dadurch damit wodurch womit	HS HS NS NS
unter	D	Unter lautem Stöhnen las sie die Prüfungsaufgabe.	und (dabei)	S
ohne	A	Ohne große Anstrengung gelang ihm die Bergbesteigung.	ohne zu ohne daß	Inf NS
statt	G	Statt eines Löffels nahm sie die Gabel.		
statt mit	D	Statt mit dem Löffel aß sie das Eis mit der Gabel.		
		Er empfahl mir statt einer Reparatur des Wagens den sofortigen Verkauf. (nicht „modal")	statt zu statt daß	Inf NS

gemäß, entsprechend (nachgest.) D (vorgest.) G	Das Projekt wurde seinen Vorstellungen gemäß ausgeführt.	so – wie NS wie NS
nach D (vor- oder nachgestellt)	Nach Meinung der Wissenschaftler wird sich die Lage nicht ändern. Seiner Meinung nach geht das nicht.	
wie	Sie benahm sich wie ein Anfänger.	als HS als ob NS
als	Er bezeichnete sich als Experten.	–

Partizipien	Beispiele	Konjunktionen, Satzverbindungen
Part. Präs.	Laut lachend winkte er mir zu.	dabei HS (o. ä.)
Part. Perf.	Ziemlich verwirrt sah ich ihm lange nach.	und HS (o. ä.)

Frage: Wie?
Auf welche Weise?
Inwieweit?

5 Formen Sie die (präpositionalen Ausdrücke) der Beispielsätze in der oben stehenden Tabelle in Neben(Haupt)sätze um.

6 Beantworten Sie folgende Fragen, indem Sie die angegebenen Konjunktionen, Adverbien und Präpositionen verwenden:

1. Wie öffnet man eine Konservendose? (mit) 2. Wie kommt man von hier zum Hauptbahnhof? (indem) 3. Wie vermeidet man Unfälle? (dadurch, daß) 4. Wie unterscheidet sich eine Katze von einer Maus? (durch) 5. Wie begrüßen Sie einen alten Bekannten, den Sie lange nicht gesehen haben? (mit, wobei) 6. Beschreiben Sie, wie Sie einen Plattenspieler in Gang setzen! (wodurch) 7. Wie hebt man Geld von der Bank ab? (mittels) 8. Wie starten Sie ein Auto? (mit) 9. Was kann man tun, um Benzin zu sparen? (statt mit, indem) 10. Auf welche Weise gelangt ein Einbrecher ins Haus? (indem, ohne zu) 11. Haben Sie eine besondere Methode, um sich auf einen Test vorzubereiten? (indem, mit) 12. Kennen Sie ein gutes Kuchenrezept? (unter, durch) 13. Wie bereiten Sie sich auf eine Reise vor? (indem) 14. Wie beantragen Sie ein Stipendium? (indem) 15. Was müssen Sie tun, um einen Studienplatz in Deutschland zu bekommen? (indem) 16. Sie wollen promovieren, wie

gehen Sie vor? (indem, gemäß) 17. Welche Möglichkeiten gibt es, ein Zimmer zu suchen? (indem) 18. Auf welche Weise lernt man am schnellsten Deutsch? (dadurch, daß, wobei) 19. Wie ist Arthur Rubinstein ein so guter Pianist geworden? (durch) 20. Wie bekam Agatha Christie die Ideen für ihre Krimis? (indem, durch)

7 Formen Sie die kursiven (schräg geschriebenen) Satzteile in Neben(Haupt)sätze um:

1. Man versuchte, den Fall *mit den neuesten Methoden der Kriminologie* zu lösen. (indem) 2. *Durch wiederholtes Aufstehen und Weglaufen* zeigte das Kind sein Desinteresse an dem Kartenspiel. (dadurch, daß) 3. *Durch den Einsatz von eigens dafür konstruierten Maschinen* blieben die Unkosten relativ gering. (womit) 4. Der Lehrer entwarf die Prüfungsaufgaben *in Absprache mit seinen Kollegen.* (und . . . dabei) 5. *Mit der Entscheidung,* nach Australien auszuwandern, überraschte er all seine Freunde. (dadurch daß) 6. Ich ärgere mich immer wieder über die Autofahrer, die an Kreuzungen *ohne Rücksicht auf die Fußgänger* auf den Gehwegen parken. 7. Der Wagen soll *nach Angaben des Besitzers* verschlossen gewesen sein. 8. Der Verteidiger hatte *unter Hinweis auf die seiner Meinung nach unklare Rolle des Mitangeklagten bei der Tat* für eine milde Strafe plädiert. 9. Er baute das Boot in seinem Keller *ohne vorherige feuerpolizeiliche Genehmigung.* 10. Die Komiteemitglieder treffen sich *vereinbarungsgemäß* im nächsten Monat zu einer weiteren Besprechung.

8 Formen Sie die Modalsätze in präpositionale Ausdrücke um und umgekehrt:

1. *Er machte eine dumme Bemerkung,* womit er alle verärgerte. 2. *Mittels eines Stemmeisens* gelang es ihm doch noch, die Kiste zu öffnen. 3. Man konnte ihm keine Bescheinigung ausstellen, *ohne vorher die Unterlagen zu prüfen.* 4. Der Junge nahm sein Zeugnis *in großer Aufregung* entgegen. 5. *Durch die Anlage von Fußgängerzonen* wurde ein wichtiger Schritt in der Bekämpfung der Umweltverschmutzung getan. 6. Man bringt das Auto zum Stehen, *indem man das Bremspedal betätigt.* 7. *Wie der Regierungssprecher mitteilte,* beginnen die Verhandlungen schon morgen. 8. *Unter lautem Protest* verließ er den Saal. 9. Sie hatte die Nähmaschine *der Gebrauchsanweisung entsprechend geölt.* 10. *Statt einen Korkenzieher zu benutzen,* öffnete er die Flasche mit einer Stricknadel.

Lesetext 2

Der Schwan *von Rainer Maria Rilke*

Diese Mühsal, durch noch Ungetanes
schwer und wie gebunden hinzugehn,
gleicht dem ungeschaffnen Gang des Schwanes.

Und das Sterben, dieses Nichtmehrfassen
jenes Grunds, auf dem wir täglich stehn,   5
seinem ängstlichen Sich-Niederlassen –:

in die Wasser, die ihn sanft empfangen
und die sich, wie glücklich und vergangen,
unter ihm zurückziehn, Flut um Flut;
während er unendlich still und sicher   10
immer mündiger und königlicher
und gelassener zu ziehn geruht.

Rainer Maria Rilke, Der Schwan, in: Gesammelte Gedichte, Insel-Verlag, 1962, S. 266.

Übungen

Bilden Sie weitere Beispiele zu den folgenden Wörtern aus dem Gedicht. Erklären
Sie alle Sätze mit eigenen Worten.

1. gebunden
konkret: a) Sie hatte den Hund an den Gartenzaun gebunden.
           b) Sie band die Blumen zu einem Strauß.
           c) ....
           d) ....
übertragen: a) Er fühlte sich durch sein Versprechen gebunden.
           b) Mir sind in dieser Angelegenheit die Hände gebunden.
           c) ....

2. fassen
konkret: a) Die Mutter faßte das Kind bei der Hand.
           b) Er faßte sie am Ärmel.
           c) ....
übertragen: a) Ich kann es nur schwer in Worte fassen.
           b) Ich kann es nicht fassen, daß ich den Preis wirklich gewonnen
              habe.
           c) ....
           d) ....

3. der Grund

konkret: a) Das Wasser war so klar, daß man bis auf den Grund des Sees sehen konnte.

                b) ....

übertragen: a) Können Sie mir den Grund für Ihr Verhalten nennen?

                b) Er wollte aus verschiedenen Gründen nicht kommen.

                c) ....

                d) ....

4. niederlassen

konkret: a) Der Bäcker ließ den Rolladen vor seinem Geschäft nieder.

                b) Er ließ sich erschöpft auf einem Stuhl nieder.

                c) ....

übertragen: a) Er hat sich vor zehn Jahren in Hamburg niedergelassen.

                b) ....

5. zurückziehen

konkret: a) Der Junge zog das Seil zurück.

                b) ....

übertragen: a) Es ist schon spät, ich möchte mich zurückziehen.

                b) Ich ziehe mein Angebot zurück.

                c) ....

                d) ....

6. unendlich

konkret: a) Parallelen schneiden sich im Unendlichen.

                b) ....

übertragen: a) Er beschrieb die Aufgabe als unendlich schwierig.

                b) ....

                c) ....

10   Beantworten Sie folgende Fragen zum Gedicht möglichst mit eigenen Worten.

1. Wie bewegt sich der Schwan an Land?
2. Beschreiben Sie, wie er sich ins Wasser niederläßt.
3. Suchen Sie für die folgenden Adjektive, die das Dahingleiten des Schwanes auf dem Wasser beschreiben, die Entsprechungen im Gedicht.
   a) majestätisch
   b) beherrscht, gefaßt, unerschüttert
   c) ruhig und lautlos
   d) ohne Zögern und ohne Angst
   e) frei und sich selbst verantwortlich
4. Womit vergleicht Rilke das Leben, das Sterben und den Tod im Gedicht „Der Schwan"?

Ergänzen Sie die Sätze sinngemäß mit den Verben zu den Substantiven aus dem **11** Gedicht.

1. An ihrem langsamen und gebeugten *Gang* erkannte ich schon von weitem, daß sie wieder sehr bedrückt war. Sie . . . . den Weg entlang.
2. Man sah ihr an, daß sie unter der *Mühsal* des Lebens litt. Sie mußte sich im Leben sehr . . . . und plagen. 3. Als ich sie nach ihrem Ergehen fragte, stürzte ihr eine Tränen*flut* über die Wangen. Plötzlich . . . . ihr heiße Tränen über das Gesicht.

Beantworten Sie folgende Fragen ausführlich: **12**

1. Welches Tier mögen Sie am liebsten bzw. überhaupt nicht? Schreiben Sie einen kleinen Aufsatz darüber.
2. Wie wirken Haustiere auf den Menschen? Warum hält man sich ein Haustier? Was muß man alles für das Tier tun?
3. Welche Haustiere sind in Ihrer Heimat beliebt? Welche Erfahrungen hat man mit verschiedenen Haustieren gemacht, wie benehmen sie sich? Wie ist ihre Beziehung zum Menschen? Welche typische Eigenschaften schreibt man den einzelnen Haustieren zu?
4. Was bedeuten folgende Tiernamen, wenn sie als Schimpfwörter verwendet werden? Wann sagen das die Leute?
   Schaf! Ziege! Rindvieh! Ochse! Kuh! Esel! Elephant! Schwein! Affe! Schlange! Papagei! Gans! Eule! Schnecke! Giftspinne! Kamel!
5. Welche Tiere, die meist nicht direkt in der Wohnung gehalten werden, zählen an sich auch zu den Haustieren? Warum hält man sie? Welchen praktischen Nutzen hat man von ihnen?
6. Die Deutschen gelten als sehr tierlieb. Wie finden sie das?
7. Für welche Bereiche der Wissenschaft werden Tiere zu Forschungszwecken verwendet?
   Es gibt Menschen, die gegen Versuche mit Tieren sind. Welche Haltung steckt dahinter? Was meinen Sie dazu?

Lesetext 3

Vögel, die sprechen – ein Können ohne Zweck?

Ein zugeflogener Wellensittich wird auf der Polizeiwache abgegeben, und der Wachtmeister, selber Sittichbesitzer, fragt den Ausreißer nach seinen Personalien. In einem der vielen Fälle, die bekanntgeworden sind, beantwortete der Sittich zwar nicht die Fragen nach Namen und Wohnort, teilte aber wahrheitsgemäß mit: „Kommt ein Vogel geflogen!" Mancher andere Sittich aber hat „seine Leute" 5 alsbald wiedergefunden, indem er zur Person angab: „Bubi Obermeier – Elisenstr. 40"

Daß Vögel überhaupt sprechen lernen, war für die Tierpsychologen lange Zeit ein Rätsel. Denn in ihrer australischen Heimat zwitschern die Wellensittiche nur so,
10 wie ihnen der Schnabel gewachsen ist. Und auch sprechbegabte Papageien hat man in der Freiheit der Steppen und Wälder bisher nie bei Nachahmungen ertappt. Kommen sie unter Menschen, dann lernen sie, über hundert Wörter nachzuplappern.

„Man fragt sich vergebens", so schrieb einmal der Verhaltensforscher Konrad
15 Lorenz, „wozu Vögel die Begabung haben, Vorgesprochenes und Vorgesungenes nachzuahmen." Lorenz wunderte sich, daß selbst die großen sprechenden Papageien „es merkwürdigerweise niemals lernen, mit ihrem Können auch nur den einfachsten Zweck zu verbinden." Dieser Ansicht widersprach dann aber der Zoologe Prof. Otto zur Strassen. Er besaß einen Graupapageien, der gelernt hatte,
20 „bitte" zu sagen, wenn er Futter bekam. Eines heißen Sommertages war nun aber sein Trinknapf vorzeitig leer geworden. Das merkte die Familie erst, als der Vogel unaufhörlich „bitte, bitte" schrie. Er hatte also wirklich sein Gelerntes richtig angewendet, um auf seinen Durst hinzuweisen.

Aber auch das erklärt nicht, wozu die Vögel nachahmen können, denn in der
25 Freiheit nützt ihnen auch ein „Bitte-Bitte" nichts. Zwei Assistenten von Prof. Lorenz im Max-Planck-Institut für Verhaltensphysiologie haben nun vor einiger Zeit mit Raben experimentiert und glauben, das Rätsel gelöst zu haben. Wenn sie von einem Rabenpaar den einen Partner entfernten und in einem Käfig unterbrachten, der vom ersten aus nicht zu sehen war, dann rief der Zurückgebliebene jene Laute,
30 die sein Partner bevorzugte. Der weibliche Rabe hatte z. B. das Kollern des Truthahns nachzuspotten gelernt. Als das Weibchen entfernt wurde, kollerte das Männchen wie ein Truthahn, was es zuvor nicht tat. Daraufhin fühlte sich das Weibchen offenbar „persönlich angesprochen", denn es versuchte, in Richtung Heimatkäfig zu fliegen. Auch im Freien sind sicherlich Sittiche und Papageien an
35 kleinen Eigentümlichkeiten ihres Lautschatzes persönlich zu erkennen, zumindest für den Partner.

Übungen

13 Erklären Sie folgende Ausdrücke nach ihrer Bedeutung im Text:

1. ein zugeflogener Wellensittich (Z. 1) 2. der Ausreißer (Z. 2) 3. wahrheitsgemäß (Z. 4) 4. zur Person angeben (Z. 6) 5. Wie ihm der Schnabel gewachsen ist (Z. 10) 6. Verhaltensforscher (Z. 14) 7. mit ihrem Können einen Zweck verbinden (Z. 17f)

14 Suchen Sie Synonyme zu folgenden Wörtern nach der Bedeutung, die sie im Text haben:

1. ertappen (Z. 11) 2. nachplappern (Z. 12f) 3. hinweisen (Z. 23) 4. Laute (Z. 29) 5. bevorzugen (Z. 30) 6. Eigentümlichkeiten (Z. 35)

70

15

Setzen Sie die fehlenden Substantiv-Verb-Verbindungen und gegebenenfalls Präpositionen und Endungen ein:

Beispiel: Der Wachtmeister *fragt* den Ausreißer nach seinen Personalien. Der Wachtmeister . . . . . . d. . Ausreißer . . . . . . zu sein. . Namen, Wohnort, usw.

Der Wachtmeister *stellt dem* Ausreißer *Fragen* zu sein*em* Namen, Wohnort, usw.

1. Der Sittich *beantwortete* zwar nicht die Fragen nach Namen und Wohnort, *teilte* aber wahrheitsgemäß *mit:* „Kommt ein Vogel geflogen!"
   Der Sittich . . . . zwar d. . . Wachtmeister kein. . . . . d. . .,
   Fragen nach sein. . . Personalien, ... aber wahrheitsgemäß folgend. . . . . .
   . . . .: „Kommt ein Vogel geflogen!" (Z. 3 ff)
2. Konrad Lorenz hatte d. . . Ansicht . . . ., daß die „sprechenden" Vögel wohl nie einen bestimmten Zweck . . . . ihr. . . Können verbinden. (Z. 17 f)
   Dieser *Ansicht* widersprach dann aber der Zoologe Prof. Otto zur Strassen.
3. Zwei Assistenten von Prof. Lorenz *experimentierten* mit Raben und glauben, das Rätsel *gelöst* zu haben. (Z. 25 ff)
   Nach den . . . ., die sie . . . . Raben . . . . glauben sie, eine . .
   . . . . d. . . Rätsel . . . . zu haben.
4. Das Weibchen *versuchte,* in Richtung Heimatkäfig zu fliegen. (Z. 33 f)
   Das Weibchen . . . . d. . . . ., wieder zu ihr. . . alt. . . Käfig zurückzufliegen.

Beantworten Sie folgende Fragen ausführlich:

1. Welche Beispiele werden im Text von Vögeln gegeben, die sprechen gelernt haben?
2. Findet man in der freien Natur Vögel, die sprechen können?
3. Worüber hat sich Prof. Konrad Lorenz bei den „sprechenden" Vögeln gewundert? Was hat er dabei vermißt?
4. Hat das Verhalten des Papageis von Prof. zur Strassen bewiesen, daß das „Sprechen" der Vögel doch auch zweckgebunden sein kann?
5. Wie haben die beiden Assistenten von Prof. Lorenz gezeigt, daß das Nachahmen von Lauten eine praktische Funktion für Vögel haben kann? Was zeigen die Versuche mit den Raben für das „Sprechenlernen" mancher Vögel?
6. Beschreiben Sie die Versuche der Assistenten mit den beiden Raben: a) Vorbereitung des Versuchs, b) Durchführung, c) Auswertung.

Kapitel 7

Lesetext 1

Richard Wagner

Bevor sich in der letzten Rheingold-Szene[1] die Nebel lichten und die Götter die Brücke zur Burg beschreiten, stimmt Donner[2], die Wolken zerteilend, von gewaltigem Blech sekundiert, sein in B-Dur gesetztes „Heda! Heda-hedo!" an, die erste trügerische Direktheit des Rings, welcher Loges[3] Kommentar über das Götter-
5 Ende alsbald folgt. Das fanfarenhafte Motiv Donners hat Kaiser Wilhelm II. später derart beeindruckt, daß er sein erstes kaiserliches Automobil mit einer Hupe aus den letzten vier Tönen des Heda-hedo ausstattete. Der Volksmund sang und sagte dazu: „Der Kaiser kommt". Da das Signal vor Nachahmung nicht geschützt war, wohl auch dem Reich erhalten bleiben sollte, übernahm die deutsche Post das
10 kaiserliche Tatütata für alle ihre Dienstfahrzeuge. Als Kinder sangen wir darauf: „Die Post ist da."
Diese Geschichte deutet an, welche Schichten man bei der Beschäftigung mit Wagner durchstoßen muß, bis man sein Objekt zu fassen bekommt: das mystifizierende Mißverständnis und seine Trivialisierung in den Köpfen derer, die nur das
15 historische Tatütata gehört haben.

Stark gekürzt und geändert nach:
Martin Gregor-Dellin, Richard Wagner – ein Jahrhundert-Fall, Süddeutsche Zeitung, 18. Okt. 1978, S. 1 der Literaturbeilage.

1 Das Rheingold: von Richard Wagner (bekannter Komponist, 1813–1883) aus dem Bühnenfestspiel „Ring des Nibelungen" in vier Teilen: „Das Rheingold", „Die Walküre", „Siegfried", „Götterdämmerung".
2 Donner (auch Donar oder Thor): Gott der Germanen, der durch das Schleudern seines Hammers den Donner erzeugte. Seine Aufgabe war es, die Welt der Götter und Menschen gegen Riesen und Ungeheuer zu verteidigen. (Der Wochentag „Donnerstag" geht auf Donner zurück.)
3 Loge (auch Loki): Gestalt aus der altnordischen Mythologie, listenreicher Helfer, teuflischer Unhold, Anführer der Kräfte, die den Untergang der Götter herbeiführen.

Wortschatz

Zeile	Neuer Ausdruck Beispiel, bzw. etwas zur Wortfamilie	Erklärung des neuen Ausdrucks Erklärung des Beispiels
1	Die Nebel lichten sich.	Der Nebel zerteilt sich, und es wird heller.
2f	anstimmen	anfangen zu singen

2f	von gewaltigem Blech sekundiert	Die Blechinstrumente (z. B. Trompeten, Posaunen) begleiten ihn.
3	B-Dur	Tonart
7	der Volksmund	Was die Leute sagen; im Volk verbreitete Sprüche und Redensarten
13	etwas zu fassen bekommen	etwas begreifen, verstehen oder anwenden können
14	die Trivialisierung trivial	gewöhnlich, platt; etwas, das zu oft verwendet wird und daher oberflächlich und kitschig wirkt; von niedriger Qualität
	die Trivialliteratur	

Übungen

Beantworten Sie die Fragen so, daß deutlich wird, daß Sie ihren Sinn verstanden haben: **1**

1. Wie tritt Donner in der letzten Rheingold-Szene auf? 2. Wie kam es zu der weiteren Verbreitung des fanfarenhaften Motivs Donners? 3. Warum blieb die Verwendung dieses Motivs nicht auf das kaiserliche Automobil beschränkt? 4. Was erschwert die Beschäftigung mit Wagner so besonders? 5. Worin besteht die Trivialisierung Wagners?

Setzen Sie die fehlenden Präpositionen und Endungen ein: **2**

1. Sie beschreiten die Brücke. – Sie gehen . . . d . . . Brücke.
2. Er stimmt sein Lied an. – Er beginnt . . . d . . . Lied.
3. Dem Lied folgt Loges Kommentar. – . . . d . . . Lied folgt Loges Kommentar.
4. Das Motiv hat Wilhelm II. sehr beeindruckt. – Das Motiv machte großen Eindruck . . . Wilhelm II.
5. Das Signal sollte dem Reich erhalten bleiben. – Das Signal sollte . . . d . . . Reich nicht verloren gehen.

Setzen Sie folgende Substantive richtig ein: **3**

Ton – Klang – Laut – Melodie – Musik – Stimme – Geräusch – Lärm

1. Aus der Nachbarwohnung hörte ich gestern Abend, wie jemand zu den . . . einer Gitarre sang.
2. Ich klingelte an der Tür, um mich über den . . . zu beklagen.
3. Meine Nachbarn öffneten mit einem kurzen . . . der Überraschung, als sie mich im Schlafanzug da stehen sahen.
4. „Kommen Sie rein, wir machen gerade etwas . . . ! Singen Sie mit!"

5. Ich nahm Platz, aber ich konnte nicht mitsingen, weil ich die . . . . des Liedes nicht kannte.
6. „Trinken Sie ein Glas Wein, das ölt die . . . !" sagte jemand zu mir.
7. Das war . . . in meinen Ohren, und ich setzte mich gemütlich zurück.
8. Es riß mich aber wieder vor bei dem falschen . . . , den der Herr neben mir von sich gab.
9. Mir gefiel der blecherne . . . seiner Stimme sowieso nicht.
10. Natürlich ist es nett, Haus . . . zu machen, zumindest überdeckt das meist die . . . von der Straße.

4 Formen Sie die folgenden Satzteile mit den angegebenen Ausdrücken um:

1. Donner stimmt, die Wolken zerteilend, von gewaltigem Blech sekundiert, sein in B-Dur gesetztes „Heda! Heda-hedo!" an.
Donner stimmt, ... er . . . ., ...
. . . ., sein „Heda! Heda-hedo!" an, ... in B-Dur . . . .
.

2. Wilhelm II. stattete sein erstes Auto mit einer Hupe aus den letzten vier Tönen aus.
Das erste Auto . . . . eine Hupe . . . .
. . . . .

3. Das Signal war vor Nachahmung nicht geschützt.
Das Signal durfte . . . .

4. Als Kinder sangen wir darauf: „Die Post ist da!"
In meiner . . . .

5. Diese Geschichte deutet an, welche Schichten man bei der Beschäftigung mit Wagner durchstoßen muß, bis man sein Objekt zu fassen bekommt.
Aus dieser Geschichte . . . ., durch . . . .
. . . . . ., wenn man . . . ., bis man besser . . . .
. . . . . heran . . . .

5 Themen für Aufsätze, Referate, Gespräche:

1. Schreiben Sie einen kurzen Bericht über Wagner. (Nehmen Sie dazu, wenn nötig, den Brockhaus, einen Opernführer oder Nachschlagewerke zur Musikgeschichte zur Hand)
2. Worin besteht das mystifizierende Mißverständnis Wagners?
3. Kennen Sie andere Beispiele aus dem Bereich der Kunst, bei denen es zu einer Trivialisierung der Werke eines Künstlers kam, und daher sein eigener Wert nur noch schwer greifbar ist?
4. Haben Sie auch während der Schulzeit die Erfahrung gemacht, daß manche Kunstwerke durch eine zu intensive Behandlung im Unterricht ihren Reiz fast ganz verlieren?
5. Gibt es in Ihrer Heimat auch berühmte Opern oder Schauspiele, die auf der Mythologie oder Sagengeschichte Ihres Landes basieren?

Zur Grammatik

Zeile 8f:
„Da das Signal vor Nachahmung nicht geschützt war, wohl auch dem Reich erhalten bleiben *sollte*, . . .“
Da das Signal vor Nachahmung nicht geschützt war, *man* wohl auch *wünschte*, *daß es dem Reich erhalten bleibe*, ...

Modalverben

Formen: **sog. objektive Form** Präs: Er soll kommen. Prät: Er sollte kommen. Perf: Er *hat* kommen *sollen*. Plusq: Er hatte kommen sollen.	**sog. subjektive Form** Gegenwart: Er soll krank sein. Vergangenheit: Er *soll* krank *gewesen sein*.
Der *Sprecher des Satzes* äußert sich über das, was das *Subjekt des Satzes* „objektiv“ gesehen tun soll, muß, kann etc	Der *Sprecher des Satzes* beschreibt die *Meinung* anderer zu etwas oder nimmt selbst dazu *Stellung*.

I sollen

A) „objektiv“	

	1. eine *andere Person* wünscht ⎫
	                     verlangt ⎬ etwas
	                     will ⎭

1. a) Anna sagt: „Du sollst Paul mal anrufen!“ b) Sie hat zur Bank gehen sollen.	a) Jd. fordert mich durch Anna auf, Paul doch mal anzurufen. b) Jd. hat ihr aufgetragen, zur Bank zu gehen.
	2. eine *moralische Pflicht, eine Sitte* oder *das Gewissen* verlangt es. Ein *Rat*

2. a) Man soll immer hilfsbereit sein.
 	
   b) Sie sollten ihr öfter schreiben. (Konj. II)
   c) Sie sollten sich diesen Film ansehen (Konj. II)
	a) Man ist moralisch dazu verpflichtet.
	b) Es wäre besser, wenn Sie ihr öfter schrieben.
	c) Ich empfehle Ihnen, sich diesen Film anzusehen.

3. Du sollst nicht stehlen!	3. ein *Gebot*

	4. eine *Umschreibung des Imperativs* in der Indirekten Rede.
4. Sie sagte zu ihm, er solle sie mal besuchen.	Sie sagte zu ihm: „Besuche mich mal!"
B) *„subjektiv"*	1. ein *Gerücht;* unsichere Informationsquelle
1. Sie soll verreist sein.	a) Die Leute erzählen, daß sie verreist ist. b) Ich habe gehört, daß sie verreist ist.
2. Sollten Sie etwa im Lotto gewonnen haben? (Konj. II)	2. eine *zweifelnde*, ironische *Frage* Es sieht fast so aus, als ob Sie im Lotto gewonnen hätten.

II müssen

A) *„objektiv"*	Es gibt für jemand eigentlich *nur die eine Möglichkeit,* etwas zu tun; denn *wenn* er es *nicht* tut, *dann* passiert etwas Schlimmes oder Unangenehmes.
1. Wir müssen Steuern zahlen. 2. Ich muß jetzt gehen.	1. Es ist ein *Gesetz.* 2. Wenn ich jetzt nicht gehe, verpasse ich den Zug (z. B.)
Gegenteil: 1. **nicht dürfen** Hier dürfen Sie nicht parken, Sie müssen weiterfahren. 2. **nicht brauchen + zu + Inf.** Karl muß schon in die Schule, aber Otto braucht noch nicht hinzugehen. 3. **nicht müssen** Sie müssen nicht alle Übungen schriftlich machen, wenn Sie nicht wollen.	1. *Verbot* 2. *Satzverneinung* 3. Das *Modalverb* ist *verneint* (betont)
B) *„subjektiv"* 1. Klara muß beleidigt sein.	1. *logische Schlußfolgerung* a) . . ., denn sie spricht nicht mit mir. b) Alles deutet darauf hin. c) Ich kann es mir nicht anders erklären.

2. Das müßte gut gehen. (Konj. II)	2. Erwartung a) Ich glaube, daß es gut gehen wird. b) An sich bin ich überzeugt, daß es gut geht.
3. Dieses Buch muß **man** gelesen haben.	3. Ohne dieses Buch gelesen zu haben, könnte man als z. B. ungebildet gelten.

Gegenteil: 1. **nicht müssen** Der Gärtner muß nicht der Dieb gewesen sein. 2. **nicht können** Der Gärtner kann nicht der Dieb gewesen sein.	1. *Zweifel* Es ist garnicht so sicher, daß der Gärtner der Dieb war. 2. *Überzeugung* Ich glaube nicht, daß er der Dieb war, er hat ja ein Alibi.

Formen Sie folgende Sätze um, indem Sie statt der schräggedruckten Satzteile **6** Modalverben verwenden („sollen" oder „müssen"):

Beispiel: In einem Bericht in „Das Leben heute" *stand,* daß Haustiere weniger Gehirn haben als in der freien Wildbahn lebende Tiere. Nach einem Bericht in „Das Leben heute" sollen Haustiere weniger Gehirn haben als in der freien Wildbahn lebende Tiere.

1. *Wenn ich es mir genau überlege,* er fährt einen Mercedes, trägt einen Pelzmantel; er hat *bestimmt* viel Geld. 2. Oh, es ist schon spät; leider *geht es nicht anders,* ich fahre jetzt heim. 3. *Ich habe gehört,* daß gestern der Gerichtsvollzieher bei ihm war. 4. Haben Sie das *vielleicht* noch nicht gelesen? 5. *Wie in der Zeitung stand,* ist es gestern in der Innenstadt wieder zu einem Verkehrschaos gekommen. 6. *Ich fühle mich verpflichtet,* Sie vor dem falschen Gebrauch der Modalverben zu warnen. 7. *Ich rate Ihnen,* auch auf die Zeitenbildung zu achten. 8. *Sie haben keine andere Wahl;* nehmen Sie dieses letzte Exemplar, auch wenn es beschädigt ist. 9. Alles war besetzt, und *ich war gezwungen,* mich in ein Raucherabteil zu setzen. 10. *Gerüchten zufolge* ist der Regisseur seit einigen Tagen verschwunden.

III **können**

A) „objektiv"	1. Fähigkeit
1. Sie kann die Aufgabe lösen	a) Sie ist fähig, die Aufgabe zu lösen.
	b) Sie weiß, wie man die Aufgabe löst
	c) Sie hat gelernt, wie man ...
	2. Möglichkeit
2. Können Sie mich heute besuchen?	a) Ist es Ihnen möglich, mich heute zu besuchen?
	b) Geht es, daß Sie mich heute besuchen?
	3. Erlaubnis
3. Ihr könnt jetzt gehen.	a) Von mir aus könnt ihr jetzt gehen
	b) Ich erlaube euch zu gehen.

B) „subjektiv"	Vermutung
1. Er kann die Aufgabe allein gelöst haben.	1. a) Möglicherweise hat er sie allein gelöst.
	b) Ich halte es für möglich.
Es kann nur Gustav gewesen sein.	c) Ich bin mir ziemlich sicher, daß es Gustav war.
2. Es könnte wieder regnen. (Konj. II)	2. a) Vielleicht regnet es wieder.
	b) Es wäre möglich, daß es wieder regnet.
negativ:	Überzeugung
Die Tür kann nicht offen gewesen sein. (Sie muß geschlossen gewesen sein.)	Es ist unmöglich, daß die Tür offen war. (siehe: „müssen")
	(Ich bin sicher, daß sie geschlossen war.)

IV **dürfen**

A) „objektiv"	1. Erlaubnis
1. Der Junge durfte mitkommen.	a) Man gestattete ihm mitzukommen.
	b) Man ließ ihn mitkommen, vielleicht weil er so brav war.
2. Dürfte ich Ihnen noch ein Stück Kuchen anbieten? (Konj. II)	2. höfliche Formulierung
	Würden Sie mir erlauben, Ihnen noch ein Stück Kuchen anzubieten?
3. Hier dürfen Sie nicht rauchen.	3. *negativ: Verbot* (siehe: „müssen")

B) „subjektiv"	1. *Erstaunen,* Entsetzen; *kritischer Kommentar*
1. Das darf doch nicht wahr sein!	a) Das kann doch nicht stimmen! (Man hält es für absurd) b) Unmöglich! c) Was ist denn da Dummes passiert!
2. im *Konj II:* Er dürfte sich verrechnet haben.	2. *vorsichtig geäußerte Schlußfolgerung* a) Ich bin mir zwar fast sicher, äußere mich aber vorsichtig. b) Es ist anzunehmen, daß er sich verrechnet hat. c) Vermutlich hat er sich verrechnet.

Verwenden Sie die Modalverben „können" oder „dürfen": **7**

Beispiel: *Vielleicht* ist sie zu Hause.
 Sie *könnte* zu Hause sein.

1. Diese Sätze *werden* Ihnen *wahrscheinlich* Schwierigkeiten machen, wenn Sie die Modalverben vorher nicht geübt haben. 2. Ich weiß wirklich nicht, wer so früh klingelt. *Möglich,* daß es der Briefträger ist. 3. *Es war mir leider nicht möglich,* früher zu kommen. 4. *Erlauben Sie mir,* Ihnen mit dem Koffer zu helfen. 5. *Vermutlich* habe ich den Schlüssel noch in der anderen Handtasche. 6. Das ist ein Empireschränkchen, *wenn ich mich nicht irre.* 7. *Hatten Sie* bei Ihrer Reise durch Deutschland auch *Gelegenheit,* Ihre Verwandten in Bayern zu besuchen? 8. *Ich halte es für ausgeschlossen,* daß der junge Mann an dem Betrug beteiligt war. 9. Durchfahrt *verboten!* 10. Das kleine Mädchen *hatte noch nicht gelernt,* wie man die Schuhe bindet.

V **wollen**

A) „objektiv" Ich will etwas essen. Er will ein Auto kaufen.	*Absicht, Plan, Wunsch* a) Ich verlange es. – Ich wünsche es. b) Er hat es vor. – Er plant es.
B) „subjektiv" Er will eine fliegende Untertasse gesehen haben.	*Behauptung,* die bezweifelt wird Er sagt es, (aber ich glaube es nicht).

VI **mögen**

A) „*objektiv*"
1. Ich mag Pop-Musik.
2. Ich mag nichts essen.
   Ich möchte gern ein Glas Wasser.
 	
3. Er sagt, sie möge warten.
	1. Etw. (jdm.) *gefällt* mir
	   Ich höre gern Pop-Musik.
	2. *neg. Wunsch*
	   Wunsch, meist im Konj. II
	3. *Umschreibung des* imperativen
	   Wunsches im Konj. I
	   Er sagt: „Bitte warten Sie!"

B) „*subjektiv*"
1. a) Es mag zwar kalt sein, trotzdem
     ziehe ich keinen Mantel an.
   b) Es mag stimmen, was Sie sagen,
     aber . . .
2. Wem mag der Mantel dort ge-
   hören
	1. *bei Einschränkungen*
	   a) Es stimmt zwar, daß es kalt ist,
	     ich ziehe aber keinen Mantel an.
	   b) Ich glaube zwar, was Sie sagen,
	     aber . . .
	2. *in Fragesätzen* (emotional etwas
	   stärker gefärbt als „können")
	   Wem gehört er wohl?

8 Verwenden Sie die Modalverben „wollen" oder „mögen":

Beispiel: Was war das *wohl?*
          Was *mag* das gewesen sein?

1. Sie *behauptet*, die Tür fest verschlossen zu haben. 2. Er *hatte vor*, sich einen Gebrauchtwagen zu kaufen. 3. Der Zollbeamte *verlangte von* ihr den Paß. 4. Jetzt esse ich *gern* noch ein Stück Kuchen. 5. Die Schauspielerin *sagt*, daß sie erst 24 Jahre alt sei. 6. Ich *finde* meinen neuen Lehrer *nett*. 7. Wer *wird* das *wohl* sein, so spät am Abend? 8. Der Geschäftsinhaber *beabsichtigte*, sich im neuen Jahr höher versichern zu lassen. 9. Das Kind *erklärt*, es habe schon alle Hausaufgaben gemacht. 10. Wir haben *keine Lust mehr*, Sätze mit Modalverben zu üben. 11. *Uns gefallen* solche schwierigen Übungen mit Modalverben sowieso *nicht*.

9 Verwenden Sie in den folgenden Übungen die Modalverben „sollen", „müssen", „können", „dürfen", „wollen", „mögen":

A) 1. *Er sagt:* Ich kenne ihn gut. 2. *Die Leute sagen:* Sie war eine bekannte Opernsängerin. 3. *Der Hausmeister hat es gesagt:* Schließen Sie abends die Haustür! 4. *Sie empfiehlt mir:* Sieh dir die Ausstellung an! 5. *Es kann nur so sein:* Der Fahrer stand unter Alkoholeinfluß. 6. *Es bleibt Ihnen nichts anderes übrig:* Nehmen Sie ein Taxi! 7. *Ich halte es für möglich:* Wir bekommen noch Karten für das Konzert. 8. *Es ist anzunehmen:* Der Zug kommt mit Verspätung an. 9. *Es ist zwar richtig:* Die Übungen mit den Modalverben sind ganz schön anstrengend; wir machen aber trotzdem weiter.

Vervollständigen Sie die Sätze und benutzen Sie dabei Modalverben: **10**

Beispiel: Ich habe Hunger, . . .

Ich habe Hunger, $\begin{cases} \text{ich } \textit{möchte} \text{ etwas essen.} \\ \text{ich } \textit{kann} \text{ nicht mehr länger mit dem Essen warten.} \end{cases}$

1. Mein Auto ist kaputt, . . . 2. Ich bin müde, . . . 3. Wie komme ich zum Bahnhof; . . .
4. Wenn Sie im Sommersemester schon studieren . . ., . . . 5. Heute früh sagte unser
Chef, . . . 6. In der Küche liegen noch ein paar belegte Brote, . . . 7. Halt, laß' sie
liegen, du . . .

Formen Sie die Sätze mit Modalverben um: **11**

1. *Ich habe gehört,* daß man in diesem Restaurant gut essen kann. 2. Der Student
war gezwungen, sein Studium ein Semester lang zu unterbrechen. 3. Der kleine
Junge *weigerte sich,* dem Mädchen etwas von seinen Keksen abzugeben. 4. *In der
Zeitung stand,* daß morgen die Verhandlungen wieder aufgenommen werden. 5. Er
hat jetzt endlich Schwimmen *gelernt.* 6. *Es ist garnicht so sicher,* ob die Fahrt über
die Landstraße länger dauert, als über die vollgestopfte Autobahn. 7. *Mir liegt jetzt
nichts an* einem Spaziergang. 8. In dieser Straße *besteht* Halte*verbot.* 9. Er verriet
mir nichts von seinen Reise*plänen.* 10. *Ich habe* dem Kind *erlaubt,* sich die Platten
allein aufzulegen. 11. *Ich frage mich nach dem Sinn* dieser Übungen mit Modalverben.

Lesetext 2

Tristan *von Thomas Mann*
(Auszug)

Die Schlittenpartie, von der lange noch alle sprachen, hatte am 26. Februar stattgefunden. am 27., einem Tauwettertage, an dem alles sich erweichte, tropfte, planschte, floß, ging es der Gattin Herrn Klöterjahns vortrefflich. Am 28. gab sie ein wenig Blut von sich . . . oh, unbedeutend; aber es war Blut. Zu gleicher Zeit wurde
5 sie von einer Schwäche befallen, so groß wie noch niemals, und legte sich nieder. Doktor Leander untersuchte sie, und sein Gesicht war steinkalt dabei. Dann verordnete er, was die Wissenschaft vorschreibt: Eisstückchen, Morphium, unbedingte Ruhe. Übrigens legte er am folgenden Tage wegen Überbürdung die Behandlung nieder und übertrug sie Doktor Müller, der sie pflicht- und kontraktge-
10 mäß in aller Sanftmut übernahm; ein stiller, blasser, unbedeutender und wehmütiger Mann, dessen bescheidene und ruhmlose Tätigkeit den beinahe Gesunden und den Hoffnungslosen gewidmet war.
Die Ansicht, der er vor allem Ausdruck gab, war die, daß die Trennung zwischen dem Klöterjahnschen Ehepaar nun schon recht lange währe. Es sei dringend wün-
15 schenswert, daß Herr Klöterjahn, wenn anders sein blühendes Geschäft es irgend gestatte, wieder einmal zu Besuch nach ,,Einfried" käme. Man könne ihm schreiben, ihm vielleicht ein kleines Telegramm zukommen lassen . . . Und sicherlich werde es die junge Mutter beglücken und stärken, wenn er den kleinen Anton mitbrächte, abgesehen davon, daß es für die Ärzte geradezu interessant sein
20 werde, die Bekanntschaft dieses gesunden kleinen Anton zu machen.
Und siehe, Herr Klöterjahn erschien. Er hatte Doktor Müllers Telegramm erhalten und kam vom Strande der Ostsee. Er stieg aus dem Wagen, ließ sich Kaffee und Buttersemmeln geben und sah sehr verdutzt aus.
,,Herr", sagte er, ,,was ist? Warum ruft man mich zu ihr?"
25 ,,Weil es wünschenswert ist", antwortete Doktor Müller, ,,daß Sie in der Nähe Ihrer Frau Gemahlin weilen."
,,Wünschenswert . . . wünschenswert . . . Aber auch notwendig? Ich sehe auf mein Geld, mein Herr, die Zeiten sind schlecht, und die Eisenbahnen sind teuer. War diese Tagesreise nicht zu umgehen? Ich wollte nichts sagen, wenn es beispiels-
30 weise die Lunge wäre; aber da es Gott sei Dank die Luftröhre ist . . ."
,,Herr Klöterjahn", sagte Doktor Müller sanft, ,,erstens ist die Luftröhre ein wichtiges Organ . . ." Er sagte unkorrekterweise ,,erstens", obgleich er gar kein ,,zweitens" folgen ließ.

Thomas Mann, Tristan. In: Erzählungen, Stockholmer Gesamtausgabe im S. Fischer Verlag, Frankfurt am Main 1959. © 1958 Katharina Mann.

Übungen

Erklären Sie folgende Textstellen: **12**

1. Am 27., einem Tauwettertage, an dem alles sich erweichte, tropfte, plantschte, floß (Z. 2f) 2. Er legte wegen Überbürdung die Behandlung nieder. (Z. 8f) 3. Er übertrug sie Doktor Müller, der sie pflicht- und kontraktgemäß in aller Sanftmut übernahm. (Z. 9f) 4. wenn anders sein blühendes Geschäft es irgend gestatte (Z 15f) 5. Ich sehe auf mein Geld. (Z. 27 f) 6. War diese Tagesreise nicht zu umgehen? (Z. 28f)

Suchen Sie Synonyme: **13**

1. vortrefflich (Z. 3) 2. währen (Z. 14) 3. gestatten (Z. 16) 4. verdutzt (Z. 23) 5. weilen (Z. 26)

Suchen Sie das Gegenteil (Z. 10ff): **14**

1. still 2. blaß 3. unbedeutend 4. wehmütig 5. bescheiden 6. ruhmlos 7. gesund 8. hoffnungslos

Suchen Sie die Substantive zu den Verben: **15**

1. Man *sprach* noch lange von der Schlittenpartie. (Z. 1) Der Ausflug war noch lange . . . 2. Doktor Leander *untersuchte* sie. (Z. 6) Bei der . . . war sein Gesicht steinkalt. 3. Herr Klöterjahn *erschien* (Z. 21) und sein . . . war auch dringend nötig.

a) Nehmen wir an, Dr. Müller wollte zuerst einen Brief an Herrn Klöterjahn schreiben; lesen Sie dazu noch einmal S. 82 Z. 13–20 durch und setzen Sie dann den entsprechenden Brief auf. **16**
b) Dr. Müller kam aber dann zu dem Schluß, daß ein Brief zu lange unterwegs sein würde und entschloß sich, ein Telegramm zu schicken. Was könnte in dem Telegramm gestanden haben?

Beantworten Sie folgende Fragen ausführlich: **17**

1. Was für ein Ort ist „Einfried"? Woran leidet Frau Klöterjahn?
2. Wie wurde das damals behandelt? Wissen Sie, wie man diese Krankheit heute behandelt?
3. Warum übernimmt Dr. Müller den Fall? Vergleichen Sie die beiden Ärzte Dr. Leander und Dr. Müller.
4. Wie reagiert Herr Klöterjahn darauf, daß Dr. Müller ihn zu seiner Frau gerufen hat? Warum sollte er kommen?
5. Warum sagte Dr. Müller „unkorrekterweise ,erstens'", und warum läßt er kein „zweitens" folgen?

Kapitel 8

Lesetext 1

Leben und lesen

Neulich hat uns der Verlag Bertelsmann mit einer Studie über Buch-und Lesegewohnheiten der Deutschen bekanntgemacht, und viele Leute hat darin sehr beeindruckt, daß die Deutschen doch mehr lesen und auch mehr Bücher daheim haben
als angenommen. Umfragen dieser Art interessieren vor allem die Verleger und
5 Buchhändler, denn sie deuten gute und schlechte Marktlagen an. Uns konnte
noch nie imponieren, daß von zehn Leuten neun „lesen". Das besagt ja nicht
mehr, als daß von zehn Leuten neun keine Analphabeten sind, und daß diese
Bücher in die Hand nehmen. Bücher gleich welcher Art. Es kommt aber doch wohl
eher darauf an, was sie lesen.
10 Wie sehr solche Statistiken die wechselhaften Prozesse verdecken, die in einer auf
Information sowie auf Anregung der Phantasie angewiesenen Gesellschaft von
Bedeutung sind, zeigt zum Beispiel ein Hinweis, der während der Buchmesse von
mehreren Verlegern zu hören war: Die Jungen lesen immer mehr nur das, was sie
unbedingt brauchen. Es hat den Anschein, daß sie immer mehr nur auf unmittelbar
15 für den Berufsweg, für das Studium Verwertbares aus sind. Manchem mag das
nicht so bedeutsam erscheinen; Hauptsache sie nehmen ihre Studien für den
künftigen Beruf ernst. Aber wenn man sich etliche Jahre zurückerinnert, sieht
man: Damals verhielt es sich ganz anders. In den letzten dreißig Jahren gab es
zwei Generationen, die von einem wahren Leseeifer gepackt waren: die jungen
20 Rückkehrer, aus dem Krieg, die heute über fünfzig sind und sich damals ein ganz
anderes, neues Weltbild zusammenlasen (von Thomas Mann bis Hemingway), und

*„Von zehn Leuten
lesen neun."*

84

die Studenten der 60er Jahre, die fasziniert wurden von Büchern, die es im Buchhandel nicht mehr oder nicht wieder gab. Sie hatten eine geistige Neugier, waren
vielseitig interessiert. Das scheint sich zu ändern.

Warum? Sind es Folgen des anderen Unterrichts in den Oberstufen? Folgen des 25
harten Konkurrenzverhaltens in der Universität, das von der Berufsnot der jungen
Akademiker hervorgebracht ist? Es könnte auch sein, daß der Wandel in dem
Bedürfnis, sich anders zu verhalten, begründet ist. Man kritisiert heutzutage die
zunehmende Isolation des einzelnen und ruft nach Verstärkung der menschlichen
Kontakte, nach mehr Gespräch und freundlicherem Zueinanderfinden. In der jün- 30
geren Generation wird das längst praktiziert. Sich treffen und miteinander stundenlang reden: das läßt das freie schweifende Lesen immer weniger zu. Lesen ist
Umgang mit sich in der Einsamkeit, Sprechen Umgang mit anderen und darin
auch Umgang mit sich. Wem freilich die Lebenserfahrung, die die Literatur vermittelt, die wichtigste ist, der mag solchen Wandel bedauern. 35

Gekürzt und geändert aus: Frankfurter Allgemeine Zeitung, 27. Okt. 1978, S. 25.

Wortschatz

Zeile	Neuer Ausdruck Beispiel, bzw. etwas zur Wortfamilie	Erklärung des neuen Ausdrucks Erklärung des Beispiels
5	andeuten	versteckt ankündigen; vorsichtig hinwei- sen auf
	Das Baby deutete auf den Ball. Was bedeutet dieses Wort? ein bedeutender Maler	Es zeigte auf den Ball.
6	besagen Daß der Angeklagte das Opfer kannte, besagt wenig.	aussagen, zum Ausdruck bringen Daß er ihn kannte, bedeutet, beweist wenig.
7	der Analphabet	jd., der nicht lesen und schreiben kann
11	angewiesen sein auf A	etw., jdn. brauchen, abhängig sein von D
14f	auf etwas aus sein	beabsichtigen; haben wollen
15	verwertbar	benutzbar, anwendbar, brauchbar
17	künftig	zukünftig
17	etliche Jahre	einige, eine Reihe von Jahren
18	Es verhielt sich ganz anders. Er verhielt sich richtig.	Es war ganz anders. Er hat sich richtig benommen.
19	der Leseeifer Er arbeitet eifrig mit.	die Begeisterung am Lesen Er beteiligt sich interessiert und lebhaft.
19	gepackt sein von Schrecken gepackt den Koffer packen	begeistert, hingerissen, ergriffen sein

25	die Oberstufe	die letzten drei Klassen des Gymnasiums
27	der Wandel	die Veränderung
32	das schweifende Lesen	das interessiert suchende Lesen verschiedener Lektüre

| | Er schweift durch den Wald. | Er geht ohne bestimmtes Ziel durch den Wald. |
| | Sie ließ ihre Blicke durch den Saal schweifen, um zu sehen, ob jemand Bekanntes da war. | |

Übungen

1 Formulieren Sie folgende Sätze mit eigenen Worten um:

1. Der Verlag hat uns mit einer Studie über Buch-und Lesegewohnheiten der Deutschen bekannt gemacht. 2. Uns konnte noch nie imponieren, daß von zehn Leuten neun „lesen". 3. Die Jungen sind immer mehr nur aus auf für den Berufsweg Verwertbares. 4. Manchem mag es nicht so bedeutsam erscheinen. 5. Es gab zwei Generationen, die von einem wahren Leseeifer gepackt waren. 6. Sie lasen sich ein neues Weltbild zusammen. 7. Sie hatten eine geistige Neugier. 8. Man kritisiert heutzutage die zunehmende Isolation des einzelnen und ruft nach Verstärkung der menschlichen Kontakte. 9. Lesen ist Umgang mit sich in der Einsamkeit.

2 Formen Sie die Sätze mit den Angaben am Rand um:

1. Die Deutschen haben mehr Bücher daheim als *angenommen.*   denken

2. Umfragen dieser Art *interessieren* vor allem die Verleger.   interessiert sein

3. Es *kommt* aber doch wohl eher darauf *an*, was sie lesen.   entscheidend

4. Solche Statistiken *verdecken* die wechselhaften Prozesse, die in einer auf Information sowie auf Anregung der Phantasie angewiesenen Gesellschaft *von Bedeutung* sind.   erkennen

   eine wichtige Rolle

5. Sie wurden von Büchern fasziniert, die es im Buchhandel *nicht mehr* oder *noch nicht wieder* gab.   vergriffen / aufgelegt

6. *Sind es Folgen* des anderen Unterrichts in den Oberstufen?   Grund

7. *Sind es Folgen* des harten Konkurrenzverhaltens in der Universität, das von der Berufsnot der jungen Akademiker *hervorgebracht* wird?   mit sich bringen / entstanden

8. Sich treffen und miteinander stundenlang reden: das *läßt* das freie schweifende Lesen immer weniger *zu.*   einschränken

9. *Wem* freilich die Lebenserfahrung, die die Literatur vermittelt, die wichtigste ist, der mag solchen Wandel *bedauern.*   wer / bedauerlich

Schreiben Sie eine Gliederung des Textes in Stichworten **3**

z. B. Abschnitt I: Studie des Bertelsmann-Verlags über Buch- und Lesegewohnheiten der Deutschen
Die Deutschen lesen mehr als oft angenommen – Hauptsächlich
für Verleger wichtige Statistiken
Nicht wie viele Leute lesen, sondern was sie lesen ist wichtig.

Übung zur Wortschatzerweiterung: **4**

1. Schreiben Sie acht bis zehn Fragen, in denen Sie jeweils einen „Buchtyp" mit
einem Relativsatz definieren. Die Klasse soll dann das „Buch" erraten.
z. B. „Wie heißt das Buch, das aus einer Sammlung von geographischen Karten
besteht?" (Antwort: Atlas)
2. Wie sieht ein Buch aus, welche Teile hat es? Stellen Sie eine Liste der entsprechenden Substantive auf.
z. B. der Buchrücken, der Titel

Beantworten Sie folgende Fragen zum Text und zu seiner Thematik ausführlich: **5**

1. Warum ist unsere Gesellschaft „auf Information angewiesen"? Was bedeutet
das im Einzelnen?
2. Warum ist unsere Gesellschaft „auf Anregung der Phantasie" angewiesen?
3. Ist in Bezug auf diese Bedürfnisse in der Gesellschaft in den letzten Jahrhunderten ein Wandel eingetreten? Wie hat sich die Situation in Bezug auf diese
Bedürfnisse in den letzten Jahrhunderten verändert?
4. Warum haben in Deutschland die Heimkehrer aus dem Krieg so viel gelesen?
5. Warum gab es die Bücher, für die sich die Studenten der 60er Jahre interes-
sierten, nicht oder nicht mehr?
6. Hat sich der Schulbetrieb auch in Ihrem Land in den letzten zehn bis fünfzehn
Jahren wesentlich verändert?
7. Glauben Sie auch, daß man weniger Zeit zum Lesen hat, wenn man sich viel mit
anderen trifft und miteinander redet?
8. Was ist Ihrer Meinung nach wichtiger, Wissen und Lebenserfahrung aus Büchern oder Erfahrungen, die man selbst mit anderen Menschen macht? Sind
Bücher überhaupt auf jeden Fall wichtig? Welche Funktionen erfüllt das
Lesen?
9. Würden Sie sich der Meinung anschließen, daß vieles, in die Breite gehendes
Lesen charakterbildend und verhaltensverändernd ist? Wenn ja, in welcher
Weise?
10. Ist Lesen wirklich nur „Umgang mit sich selbst in der Einsamkeit", so daß es
keine echte persönliche Begegnung durch die Lektüre gibt?
11. Erklären Sie, was mit dem Titel des Textes „Leben und Lesen" gemeint ist?

Zur Grammatik

Zeile 8f:

I. Stelle

Es kommt aber doch wohl eher *darauf* an, was sie lesen.

Was sie lesen, *darauf* kommt es aber doch wohl eher an.

Das Pronomen „es"

Problem: A) Wann steht „es" nicht *nur auf der I. Stelle* (am Satzanfang), sondern auch *im Satz* (im Satzfeld)?

B) Wann steht „es" *nur* auf der I. Stelle (und fällt weg, wenn ein anderer Satzteil auf die I. Stelle rückt)?

Grundregel

Regel I A) *„es" bleibt immer, wenn sonst kein Subjekt da ist.*

B) Hat ein $\left\{\begin{array}{l}\text{Subst., Pron.}\\ \text{daß-NS}\\ \text{Inf.-Satz}\\ \text{Relativsatz}\\ \text{Indir. Fragesatz}\end{array}\right\}$ *Subjektfunktion,* und steht $\left\{\begin{array}{l}\text{es}\\ \text{er}\end{array}\right.$

auf der I. Stelle, fällt das „es" *weg.*

Beispiele:

I. Stelle

A)   *Es* ist *heute* schön.

Heute ist *es* schön.

B) a)   *Es* stand *ein Mann* vor der Tür.

Ein Mann stand vor der Tür.

Es ist *jeder* gemeint.

Jeder ist gemeint.

b)   *Es* ist schade, *daß er wegfährt.*

Daß er wegfährt, ist schade.

c)   *Es* ist schön, *gut zu essen.*

Gut zu essen, ist schön.

d)   *Es* ist gut, *was du da machst.*

Was du da machst, ist gut.

e)   *Es* fragt sich, *ob er kommt.*

Ob er kommt, fragt sich.

II)   *Es* ist schade, *daß er wegfährt.*

a)   *Daß er wegfährt,* ist schade.

b)   *Schade* ist (es), daß er wegfährt.   (In Sätzen wie:

c)   *Schade* ist es wirklich, daß er   Schade ist, daß er weg-
wegfährt.   fährt, aber gut ist es, daß
er sich dann erholt)

Regel II):

$$\text{Es ist} + \textbf{Adj.}, + \begin{cases} \text{daß-NS} \\ \text{Inf.-Satz} \\ \text{Rel.satz} \\ \text{Indir. Frage} \end{cases}$$

a) $\left.\begin{array}{l} \text{daß-NS} \\ \text{Inf.-Satz} \\ \text{Rel.satz} \\ \text{Indir. Frage} \end{array}\right\}$, ist + **Adj.**   *„es" fällt weg*

b)

$$\textbf{Adj.} \quad \text{ist (es), } + \begin{cases} \text{daß-NS} \\ \text{Inf-Satz} \\ \text{Rel.Satz} \\ \text{Indir. Frage} \end{cases} \quad \textit{„es" bleibt meistens}$$

c)

$$\textbf{Adj.} \quad \text{ist } \textbf{es} + \textit{Ergänzung}, + \begin{cases} \text{daß-NS} \\ \text{Inf.-Satz} \\ \text{Rel.Satz} \\ \text{Indir. Frage} \end{cases} \quad \textit{„es" bleibt}$$

Übung zu Regeln I–II: Stellen Sie die kursiven Satzteile an den Satzanfang: **6**

Beispiel: Es ist *spät.*
Spät ist es.

1. Es regnet *heute.* 2. Es schien *jeden Tag* die Sonne. 3. Es war *im Schatten* aber eiskalt. 4. Es klingelte *an der Tür.* 5. Es dämmert bereits *um vier Uhr.* 6. Es gibt heute *Schweinebraten* zum Essen. 7. Es ist natürlich bekannt, *daß man in Bayern Schweinebraten ißt.* 8. Es ist wichtig, *sich richtig zu ernähren.* 9. Es ist *wichtig,* nicht zu viel Fettes zu essen. 10. Es ist *natürlich* auch wichtig, für genug Schlaf zu sorgen. 11. Es ist zu bezweifeln, *ob man das immer schafft.* 12. Es ist klar, *was das bedeutet.* (Achtung:) 13. Es war *Peter,* der heute früh um 6.00 Uhr angerufen hat. (siehe Regel III)

Regel III): „es" *zur Hervorhebung des Subjekts.*

I.	II.	III.
Subjekt	+ Verb	+ es

a) Ich	*bin*	es
Er	*war*	es
b) *Peter*	war	es

I.	II.	III.
Es	+ Verb	+ Prädikatsnominativ
Es	war	*Peter.*
Es	singt	die Callas.
Es	spielen	die Münchener Philharmoniker.

Prof. Müller	sprach	heute

. Es sprach heute *Prof. Müller.*

89

Regel IV): „es" *in „Objekt"funktion.*

a) Ich *habe* es *satt* (gut, schwer, ...)
Sie *haben* es *mit* einem Charmeur *zu tun.*
Sie *hat* es *auf* den Millionär *abgesehen.*
Die *hat* es *in sich.* u. ä. „es" *bleibt*
b) Ich *nehme* es *mit* jedem *auf.*
Er *macht* es *sich* im Sessel *bequem.*
Sie *bringt* es *noch weit* (*zu etwas* Großem, . . .)
Sie *meint* es *gut* (ernst . . .) *mit* mir.
Er *nimmt* es *leicht* (ernst, schwer, . . .) *mit* seinen Plänen.
Man *kann* es *nicht* jedem *recht machen.*
Er *hat* es bei dieser Wirtin gut *getroffen.*
Er sollte es nicht *mit* ihr *verderben.*
Er *läßt* es sich bei ihr gut *gehen.* u. ä. „es" *bleibt*

Regel V): „es" *als Korrelat* (in Objektfunktion)

a) *vor* einem *daß-NS, Inf-Satz, wenn-NS, Indir. Fragesatz.*
b) *zurückweisend* auf einen vorangegangenen Sachverhalt.

a) Ich halte **es** für richtig, *daß Sie so viel lernen.*
Daß Sie so viel lernen, halte ich für richtig. „es" *fällt weg*

Ich hielte **es** für besser, *wenn Sie mehr lernten:*
Wenn Sie mehr lernten, hielte ich **es** (das) für besser. „es" *bleibt*

b) *Er mag keine Anspielungen auf seinen Akzent.* Er nimmt **es** meist übel.

7 Übung zu Regeln I–V: Beginnen Sie mit dem kursiven Satzteil:

1. Ich habe es *jetzt* satt, mich mit dem Pronomen „es" zu beschäftigen.
2. Es ist *eine Quälerei, wenn Sie mich fragen!*
3. Ich würde es aber bedauern, *wenn Sie jetzt schon aufgäben.*
4. Es handelt sich *hier* um ein schwieriges Kapitel.
5. Es ist so schwierig, *weil viele Ausdrücke idiomatisch sind.*
6. Es fällt Ihnen sicher schwer, *alles richtig zu machen.*
7. Es fällt Ihnen *sicher* schwer, alles richtig zu machen.
8. Es war *eine Eule,* die im Garten schrie.
9. Er bezeichnete es als Fehler, *daß sie sich so schnell entschlossen hatte.*
10. Es hängt *von Ihnen* ab, ob der Ausflug ein Erfolg wird.
11. Es hängt von Ihnen ab, *ob der Ausflug ein Erfolg wird.*
12. Es fragt sich, *wie ich ohne Schlüssel ins Haus komme.*
(Achtung):
13. Es friert *mich* schon ganz schrecklich. (siehe Regel VI)

Übung zu den Regeln I–VI: Setzen Sie dort „es" ein, wo es fehlt: **8**

1. Vielen Ausländern fiel . . . schwer, dort Freunde zu finden. 2. Aber in dieser Stadt läßt . . . sich gut leben. 3. Dem Gast schien . . . nicht ratsam, im Augenblick noch etwas zu sagen. 4. Mich gruselt . . ., wenn ich an den Weg durch den Wald denke. 5. Bei dem Krimi überlief . . . mich kalt. 6. So lange im Regen spazieren zu gehen, ist . . . nicht ratsam. 7. Heute regnet . . . nun schon fünf Stunden; ich habe . . . langsam satt. Wenn . . . nicht bald aufhört, wird . . . bedenklich. 8. Wie der fremde Hund ins Haus kam, läßt . . . sich nicht mehr feststellen. 9. Dem Land fehlt . . . an Ärzten und Krankenschwestern. 10. Hier fehlt . . . die nötige Unterstützung. 11. Mich wundert . . ., wo er bleibt. 12. Er hat . . . sogar bis zum Abteilungsleiter gebracht. (Achtung:) 13. Heute wird . . . viel geübt. (siehe Regel VII)

Übung zu Regeln I–VII: Stellen Sie die kursiv gedruckten Satzteile nach vorn: **9**

1. Er hat es *mit diesem Zimmer* gut getroffen. 2. Er würde es nicht besser haben, *wenn er bei seinen Eltern wohnte.* 3. Es war *heute* Westwind. 4. Es fror *mich* den ganzen Tag. 5. Es war sehr ärgerlich für ihn, *daß er sich verspätet hatte.* 6. Es wurde *vorhin* für Sie angerufen. 7. Es war *ein harter Winter.* 8. Es konnte *mit einer Verbesserung der Lage* nicht gerechnet werden. 9. Es standen viele Leute *vor dem Kino.* 10. Es ist *gestern* lange über die Steuerreform diskutiert worden. 11. Es kommt *ihr* heute darauf an, so wenig Zeit wie möglich zu verlieren. 12. Es gibt *dort* eine gute Konditorei. (Achtung:) 13. Lauwarmen Kaffee zu trinken, haßt *sie.* (siehe unten)

„Es" als Korrelat. Beispiele:

1. Sie *liebt es,* (oder: hat *es* gern, oder: *mag es,* oder: *haßt es*) in der Sonne zu sitzen. 2. Der Gastgeber *sah es* als Beleidigung *an,* (oder: *faßte es* als Beleidigung *auf,*) daß ich so wenig von seinem guten Wein trank. 3. Wir *schoben es* immer

wieder *auf,* unsere Tante zu besuchen. 4. Der Staatsanwalt *bezeichnete es als* Versäumnis, daß man nicht alle Zeugen festgehalten hatte. 5. Der Politiker *betrachtete es als* Fehler, daß man den Vertrag nicht sofort abgeschlossen hatte. 6. Die Gesprächpartner *empfanden es als* großes Hindernis, sich in einer fremden Sprache unterhalten zu müssen. 7. Der schüchterne junge Mann *verstand es als* Ermunterung, daß ihm die Dame zulächelte. 8. Einige Gelehrte *führen es* auf einen Zufall *zurück,* daß diese Glaubensrichtung eine solche Verbreitung fand. 9. Der Musiker *verglich es mit* einer schönen Frau, die sich einem immer wieder entzieht, wenn sich das Motiv im dritten Satz der Synfonie immer wiederholt. 10. Während seiner Urlaubsreise *richtete* er *es* so *ein,* daß er meistens in einer idyllischen Kleinstadt mittagessen konnte. 11. Bei seiner Vernehmung *unterließ es* der Zeuge, auf seine verwandtschaftliche Beziehung zum Angeklagten hinzuweisen. 12. Nach ihrer Entlassung aus dem Krankenhaus mußte sie *es* noch lange *vermeiden,* fettes und zu scharf gebratenes Fleisch zu essen. 13. Der Student konnte *es sich* nicht *leisten,* das Mädchen zu einem Kinobesuch einzuladen.

Lesetext 2

Unterm Birnbaum   *von Theodor Fontane*

Das Licht und die Wärme taten ihr wohl, und als es ein paar Minuten später in dem immer bereitstehenden Kaffeetopfe zu dampfen und zu brodeln anfing, hockte sie neben dem Herde nieder und vergaß über ihrem Behagen den Sturm, der draußen heulte. Mit einem Mal aber gab es einen Krach, als bräche was zusammen, ein
5 Baum oder ein Strauchwerk[1], und so ging sie denn mit dem Licht ans Fenster und, weil das Licht hier blendete, vom Fenster her in die Küche, wo sie den obern Türladen[2] rasch aufschlug, um zu sehn, was es sei. Richtig, ein Teil des Garten-

*„In dem immer bereitstehenden Kochtopfe
fing es zu dampfen und zu brodeln an."*

92

zauns war umgeworfen, und als sie das niedergelegte Stück nach links hin bis an das Kegelhäuschen[3] verfolgte, sah sie, zwischen den Pfosten der Lattenrinne[4] hindurch, daß in dem Hradscheckschen Hause noch Licht war. Es flimmerte hin 10 und her, mal hier, mal da, so daß sie nicht recht sehen konnte, woher es kam, ob aus dem Kellerloch unten oder aus dem dicht darüber gelegenen Fenster der Weinstube. (. . .) Sie schloß den Türladen wieder und ging an ihre Herdstätte zurück. Aber ihr Hang zu spionieren ließ ihr keine Ruh, und trotzdem der Wind immer stärker geworden war, suchte sie doch die Küche wieder auf und öffnete 15 den Laden noch einmal, in der Hoffnung was zu sehen. Eine Weile stand sie so, ohne daß etwas geschehen wäre, bis sie, als sie sich schon zurückziehen wollte, drüben plötzlich die Hradscheckschen Gartentür auffliegen und Hradscheck selbst in der Türöffnung erscheinen sah. Etwas Dunkles, das er schon vorher herange- schafft haben mußte, lag neben ihm. Er war in sichtlicher Erregung und sah ge- 20 spannt nach ihrem Hause hinüber. Und dann war's ihr doch wieder, als ob er wolle, daß man ihn sähe. Denn wozu sonst das Licht, in dessen Flackerschein er da- stand? Er hielt es immer noch vor sich, es mit der Hand schützend, und schien zu schwanken, wohin damit. Endlich aber mußt' er eine geborgene Stelle gefunden haben, denn das Licht selbst war weg und statt seiner nur noch ein Schein da, viel 25 zu schwach, um den nach wie vor in der Türöffnung liegenden dunklen Gegen- stand erkennen zu lassen. Was war es? Eine Truhe? Nein. Dazu war es nicht lang genug. Oder ein Korb, eine Kiste? Nein, auch das nicht. (. . .)
Da sah sie, wie der ihr auf Minuten aus dem Auge gekommene Hradscheck von der Tür her in den Garten trat und mit einem Spaten in der Hand rasch auf den 30 Birnbaum zuschritt.

Theodor Fontane, Unterm Birnbaum, Reclams Universal-Bibliothek Nr. 8577 (2), (leicht gekürzt). S. 38f

1 Strauchwerk: Strauch, Gebüsch
2 der obere Türladen: der obere Teil einer zweiteiligen Tür
3 Kegelhäuschen: Häuschen, in dem sich die Kegelbahn befindet, oft bei Gasthäusern
4 Lattenrinne: aus schmalen, dünnen Brettern bestehende Rinne

Übungen

10 Erklären Sie folgende Textstellen:

1. Richtig, ein Teil des Gartenzauns war umgeworfen. (Z. 7 f) 2. Aber ihr Hang zu spionieren ließ ihr keine Ruh. (Z. 14) 3. Er schien zu schwanken, wohin damit. (Z. 23 f)

11 Suchen Sie Erklärungen zu den Verben, indem Sie die Sätze sinngemäß vervollständigen:

1. Wenn . . . ., dann dampft es. (Z. 2)
2. Wenn . . . ., dann brodelt es. (Z. 2)
3. Wenn . . . ., dann heult es. (Z. 4)
4. Wenn . . . ., dann kracht es. (Z. 4)
5. Wenn . . . ., dann blendet es. (Z. 6)
6. Wenn . . . ., dann flimmert es. (Z. 10)
7. Wenn . . . ., dann flackert es. (Z. 22)

12 Ergänzen Sie die angefangenen Sätze so, daß sie etwa bedeutungsgleich mit den vorausgehenden Sätzen sind:

1. Sie vergaß über ihrem Behagen den Sturm. (Z. 3) Sie fühlte sich so . . . ., ... sie den Sturm . . . .
2. Er war in sichtlicher Erregung. (Z. 20) Es war deutlich zu erkennen, ...
3. Das Licht war weg und statt seiner nur noch ein Schein da, viel zu schwach, um den nach wie vor in der Türöffnung liegenden dunklen Gegenstand erkennen zu lassen. (Z. 25 ff) Statt des Lichts . . . . ein sehr . . . ., so daß man . . . . Gegenstand, der immer noch . . . ., nicht . . . .

13 Beantworten Sie folgende Fragen ausführlich:

1. Warum hat sich die Frau so behaglich gefühlt? Warum ging sie dann ans Fenster? Was sah sie vom Fenster aus? 2. Welche Tageszeit war es? 3. Warum „flimmerte" das Licht im Hradscheckschen Haus „hin und her" (Z. 10 ff)? Was ging wohl dort vor sich? Warum glaubte die Frau, daß Hradscheck wolle, man solle ihn sehen? (Z. 21 ff) 4. Was könnte das „Dunkle" gewesen sein, das Hradscheck in den Garten gebracht hatte, was hat er wohl damit vor? Erzählen sie die Geschichte frei weiter! 5. Warum war die Frau so neugierig? Sind Männer weniger neugierig als Frauen? Sind sie weniger an Klatsch interessiert? Wenn es in dieser Beziehung früher Unterschiede zwischen Männern und Frauen gab, worauf ließe sich das zurückführen?

Kapitel 9

Lesetext 1

Als Referendar *von Ludwig Thoma*

Ich war immer ein Mensch von raschem Entschlusse, und da ich mir sagte, daß bei meiner gesellschaftlichen Stellung eine leere Liebelei zwecklos und unmoralisch wäre, nahm ich mir vor, Herrn Getreidehändler Scholler zu besuchen. Der Mann mußte bemerkt haben, daß ich seiner Tochter Aufmerksamkeiten erwies, die eine Erklärung verlangten. Kurz und gut, ich machte meine Aufwartung. Ich wurde sehr 5
nett empfangen. Der Alte war ein gemütlicher Mensch, allerdings etwas stark bürgerlich, aber er bemühte sich offenbar, gute Manieren zu zeigen.
Elschen kam, und wir sprachen von dem und jenem.
Auch von meiner Stellung, meinen Aussichten; ich sagte, daß ich Richterbeamter werden wolle, weil mir das am besten zusage. Man sei unabhängig, würde mit 10
vollem Gehalte pensioniert, und dann genieße der Richter doch ein kolossales Ansehen.
Ich bemerkte mit Vergnügen, daß Herr Scholler meinen Ausführungen sichtliches Interesse schenkte.
Er ließ mich nicht aus den Augen; besonders dann, wenn ich die Vorzüge des 15
Berufes rühmte und über meine Zukunft sprach, hörte er mir aufmerksam zu und nickte mit dem Kopfe.
Ich war darüber nicht erstaunt, denn ich habe immer gefunden, daß man gerade in den bürgerlichen Kreisen einen großen Respekt vor der akademischen Bildung hegt. 20

Familie Scholler, mit Elschen, meiner Angebeteten (gezeichnet von Olaf Gulbransson)

Aber angenehm berührt war ich doch, daß der Vater meiner Angebeteten diese – wie soll ich sagen? – Ehrfurcht vor dem geistig Höherstehenden teilte.

Ich wurde gesprächig, ich zeigte mich Elschen im schönsten Lichte und beschloß, den braven Leuten schon beim nächsten Besuche meine Absichten zu enthüllen.

25 Ich verabschiedete mich, und Herr Scholler begleitete mich bis zur Türe. In dem dunklen Hausgange hielt er mich einen Augenblick zurück und sagte: ,,Wissen S', wir hab'n auch ein'n Rechtspraktikanten in unserer Familie g'habt. I' weiß, was das für arme Luder sin'. Da, b'halten S' das nur!''[1] Dabei drückte er mir etwas in die Hand und schob mich gutmütig hinaus. Es war ein Zehnmarkschein.

Auszug aus Ludwig Thoma, Als Referendar, in: Der Münchner im Himmel, Satiren und Humoresken, dtv, 1976, S. 100f.

[1] ,,übersetzt'' aus dem Bayerischen.

Wortschatz

Zeile	Neuer Ausdruck Beispiel, bzw. etwas zur Wortfamilie	Erklärung des neuen Ausdrucks Erklärung des Beispiels
4	Aufmerksamkeiten erweisen	Komplimente machen; Gefallen tun; kleine Geschenke machen, aufmerksam, respektvoll behandeln
5	seine Aufwartung machen	einen Besuch abstatten
7	die Manieren (Pl)	das Benehmen, Verhalten, meist von den Sitten und Gebräuchen bestimmt
9	die Aussichten (Pl) Von diesem Turm hat man eine schöne Aussicht. Es besteht die Aussicht, daß er ein Stipendium bekommt. Seine beruflichen Aussichten sind sehr gut.	Man hat einen schönen Ausblick auf die Umgebung. Es besteht die Möglichkeit, ... Er kann wohl damit rechnen, ... Sein berufliches Weiterkommen, seine berufliche Zukunft sieht sehr gut aus.
10	zusagen Er hat mich eingeladen, und ich habe zugesagt. Das deutsche Essen sagte ihr garnicht zu.	Ich habe gesagt, daß ich kommen werde. Es gefiel ihr nicht. Es schmeckte ihr nicht.
11	kolossal	sehr groß, riesig, ungeheuer, gewaltig
16	rühmen berühmt, der Ruhm	loben, herausstellen
19	Respekt hegen vor	Achtung haben vor; mit Scheu gegenüberstehen; hoch einschätzen, anerkennen
28	armes Luder	armer Mensch, mit dem man Mitleid hat

Übungen

Setzen Sie die richtigen der folgenden Substantiv-Verb-Verbindungen (aus dem
Text S. 96 f) in den Sätzen 1–4 ein und ergänzen Sie sinngemäß:

Aufmerksamkeiten erweisen D(P)
Ansehen genießen
Interesse schenken D(P/S) zeigen für A(P/S)
nicht aus den Augen lassen A(P/S)
Respekt haben vor D(P/S)
sich im schönsten Lichte zeigen D(P)
seine Absichten enthüllen D(P)
in die Hand drücken D(P), A(S)

1. In unserer Gesellschaft .... folgende Berufe großes
   .... : ....
2. Das hängt damit zusammen, daß man vor Menschen viel ....
   ...., die ....
3. Und das mit Recht, denn solche Menschen haben oft großes ....
   für die Lösung von wichtigen ....
   Problemen ....
4. Aber auch ein Akademiker darf nicht außer acht lassen, daß sein berufliches
   und gesellschaftliches Fortkommen auch .... abhängt,
   deswegen muß er es verstehen, sich bei passender Gelegenheit ....
   ....

Beantworten Sie bitte folgende Fragen zu Wendungen aus dem Text:

1. Wie stellen Sie sich einen „Menschen von raschem Entschlusse" vor? (Z. 1)
2. Was stellen Sie sich darunter vor, wenn jemand „sehr nett empfangen" wird?
(Z. 5f) 3. Worüber haben sich der Referendar, Elschen und ihr Vater unterhalten,
wenn sie von „dem und jenem" sprachen? (Z. 8) 4. Inwiefern ist man als Richter
unabhängig? (Z. 10) 5. Welche Absichten wollte der Referendar dem Vater von
Elschen enthüllen? (Z. 24) 6. Warum hält Getreidehändler Scholler wohl Rechtspraktikanten für arme Luder? (Z. 27f)

Bilden Sie das Gegenteil zu folgenden Adjektiven aus dem Text:

1. rasch   (Z. 1)   Ich habe mich nur .... bereit erklärt, die Arbeit zu
                        übernehmen.
2. zwecklos   (Z. 2)   Ich halte diese Aufgabe nicht für sehr zweck ....
3. nett   (Z. 6)   Man erklärte mir ziemlich ...., wie es gemacht
                        werden sollte.
4. gutmütig   (Z. 29)   Ich bin aber im Grunde genommen kein ....
                        Mensch.
5. gesprächig (Z. 23)   Und so hörte ich gut zu. Ich sagte aber nichts, ich bin ja
                        auch sonst ziemlich ....

4 Setzen Sie die aus folgenden Substantiven (aus dem Text) gebildeten Verben und die fehlenden Präpositionen und Endungen ein:

1. Entschluß (Z. 1) Er . . . . ein . . . Besuch d . . . Eltern sei. . . . An
   gebetet . . .

2. Interesse (Z. 14) Herr Scholler . . . . sichtlich . . . . d . . . Ausführungen d. . . Rechtspraktikanten.

3. Absichten (Z. 24) Der Referendar beschloß, d . . . Getreidehändler das nächste Mal zu sagen, daß er . . . ., seine Tochter zu hei-
   raten.

5 Beantworten Sie folgende Fragen zum Text ausführlich:

1. Was ist der Zweck des Besuchs bei Schollers? Wie geht der Referendar vor?
   An welchen Aufmerksamkeiten hätte Herr Scholler merken sollen, daß sich der
   Referendar ernsthaft für seine Tochter interessiert?
   Wieso hätte Scholler eine Erklärung verlangt?
   Was hält der Referendar von sich selbst?

2. Welche Haltung nimmt er Elschens Eltern gegenüber ein? Wie stuft er sie ein?

3. Was erzählte der Referendar der Familie des Getreidehändlers über seine Zu-
   kunftspläne? Warum wollte er die Laufbahn eines Richters einschlagen?

4. Nennen Sie die Gründe, die es geben kann, sich für einen bestimmten Beruf zu
   entscheiden.

5. „Bürgerlich" wird hier zwar stark abwertend verstanden, sehen Sie aber auch
   Anzeichen für eine positivere Einstellung des Verfassers dem „Bürgerlichen"
   gegenüber im Text?
   Beschreiben Sie einen „Spießbürger". Welches sind die „Werte", nach denen
   ein Spießer sein Leben einrichtet?

Zur Grammatik

Zeile 1 ff:

„... da ich mir sagte, daß bei meiner gesellschaftlichen Stellung eine leere Liebe-lei zwecklos und unmoralisch *wäre,* nahm ich mir vor, ...''

Konjunktiv II

Form:

A) **Gegenwart: Prät. stamm + Konj. endung**

      Ich blieb – e   gern,

wenn sie mich fragt – en .   a) schwache Verben ≙ Indikativ Prät.

      Ich führ – e   dann morgen. b) starke Verben: oft + Umlaut

Konj.endungen:

    1. ich wär – **e**   froh

    2. du wär – **est** froh

    3. er⎫wär – **e**   froh
        sie⎭

    1. wir wär – **en** froh

    2. ihr wär– **et** froh

    3. sie⎫wär – **en** froh
        Sie⎭

B) **Vergangenheit: wäre-** **+**   **Part. Perf.**
               hätte-

      Ich wäre   heute abgereist.

      Er hätte   mich angerufen.

      hätte- **+**   **Inf.HV + Inf.MV**

      Sie hätten ihn   rufen sollen.

      wäre- **+**   **Part.Perf. + worden** (Passiv)

      Der Koffer wäre   nicht gestohlen worden, wenn sie aufgepaßt hätte.

Vervollständigen Sie folgende Sätze sinngemäß; verwenden Sie dabei den Konj.II: **6**

1. Seine letzte Reise wäre erholsamer gewesen, wenn ... 2. Ich hätte weniger ausgegeben, wenn ... 3. Du müßtest dich aber rechtzeitig anmelden, wenn ... 4. Ich würde Ihnen dieses Hotel empfehlen, wenn ... 5. Heute müßte er eigentlich ins Institut gehen, wenn ... 6. Der Geschäftsmann hätte den Konkurs aufhalten können, wenn ...

A) Irrealer Bedingungssatz

Das Wetter ist schlecht, ich bleibe zu Hause.

Wenn   das Wetter $\begin{cases} \text{nicht so schlecht} \\ \text{besser} \end{cases}$ wäre,   bliebe   ich   nicht zu Hause.

1.	2.	3.	4.	5.
Wenn + NS	Gegenteil	Konj. II	Konj. II	Gegenteil

oder: zuerst HS   dann NS
Ich bleibe nicht zu Hause, wenn das Wetter besser wäre.

---

7 Formen Sie die kursiven Satzteile in Nebensätze um:

1. *Bei mehr Sparsamkeit* käme die junge Frau mit dem Wirtschaftsgeld aus. 2. *Ohne die großzügige finanzielle Unterstützung seines Onkels* hätte er nicht studieren können. 3. Wir könnten diese schwierige Mathematikaufgabe auch *mit einer Formelsammlung* nicht lösen. 4. Die Expeditionsmitglieder wären *unter günstigeren Bedingungen* wesentlich schneller ans Ziel gekommen. 5. *Auf eine Anfrage von Kunden hin* hätte der Geschäftsmann nicht erklären können, warum die Ware immer noch nicht eingetroffen sei. 6. *Eine Änderung der Vertragsbedingungen* hätten es ihm ermöglicht, weiterhin als Werbefachmann für diese Firma zu arbeiten. 7. *Eine rechtzeitige Reparatur der Bremsen* hätte den Unfall verhindert.

B) Irrealer Wunschsatz

Die Sonne scheint so selten.

Wenn   die Sonne   doch $\begin{cases} \text{nicht so selten} \\ \text{öfter} \end{cases}$ schiene!

1.	2. 3.	4.
wenn + NS	doch Gegenteil (nur)	Konj. II

Schiene   die Sonne   doch $\begin{cases} \text{nicht so selten!} \\ \text{öfter} \end{cases}$

1.	2. 3.
Verb (Konj. II) am Anfang	doch Gegenteil (nur)

---

8 Formen Sie folgende Sätze in irreale Wunschsätze um:

1. Alle billigen Kleider waren schon ausverkauft: Wenn . . . 2. Gestern kam meine Schwiegermutter zu Besuch: Wenn . . . 3. Sie meckert immer so viel: Wenn sie . . . 4. Mir wäre es lieber, er führe nicht so schnell: Wenn . . . 5. Er befürchtet, daß die Miete erhöht wird: Wenn . . . 6. Wir hoffen auf besseres Wetter: Wenn das Wetter . . .

Sagen Sie höflich Ihre Meinung zu den in folgenden Aussagen beschriebenen **9**
Verhaltensweisen:

Beispiel: *Er* geht immer sehr spät zu Bett.
Ich ginge früher zu Bett.

1. Sie nannte ihren Freund einen Esel. 2. Er war beleidigt. 3. Sie hat sich nicht bei ihm entschuldigt. 4. Er sprach nicht mehr mit ihr. 5. Sie wunderte sich über sein Verhalten. 6. Heute kauft er ihr aber eine große Schachtel Pralinen.

C) **Höfliche Meinungsäußerung**			
Er	fährt	im Winter	an die Nordsee.
Ich	führe	im Winter	nicht an die Nordsee.
1. 1. Pers.	2. Konj. II	3. Gegenteil	

Sagen Sie, was Sie tun würden: **10**

Beispiel: *Er* ißt immer im Restaurant. a) *Ich* äße nicht immer im Restaurant
b) *Ich* würde auch manchmal selbst zu Haus etwas kochen.

1. Sie geht dreimal pro Woche ins Kino. Ich . . . 2. Er kauft immer Kuchen in der Bäckerei. 3. Sie schrieb die Hausaufgaben aus dem Lösungsheft zum Buch ab. 4. Er leiht sich ständig Geld von seinen Freunden. 5. Er fuhr bei dem starken Verkehr mit dem Auto in die Stadt. 6. Sie löste ihre Probleme ohne jede Hilfe.

Bilden Sie Vergleichssätze im Konj.II: **11**

1. Das kleine Mädchen aß so viel Kuchen, als . . . 2. Der Vater behandelte seinen großen Sohn, als ob . . . 3. Gestern Vormittag benahm sich unser Freund, als . . . 4. Plötzlich ging sie viel schneller, als ob . . . 5. Der Hund knurrte mich an, als ob . . . 6. Der Raum sieht aus, als ob . . .

D) **Vergleichssätze im Konj II**				
Er tut so,	als ob	er mich	nicht	sähe.
	1. als ob	2. Geg.	3. Konj.II NS	
oder:				
Er tut so,	als	sähe	er mich	nicht.
	1. als	2. Konj. II HS	3. Geg.	

E) Konsekutivsätze im Konj II

Die Suppe war so heiß, daß man sie *nicht* gleich essen konnte. (*Ind.*)
Die Suppe war zu heiß, als daß man sie gleich hätte essen können

1.	2.	3.	4.
zu + Adj.	als daß	Geg.	Konj. II

Die Suppe war so dünn, daß man *nachher noch Hunger hatte.*
Die Suppe war zu dünn, als daß man *davon hätte satt werden können.*

Der „als daß – NS" kann nicht mit einer Negation konstruiert werden.

Formen Sie die Konsekutivsätze um und benutzen Sie „als daß" mit dem Konj. II:

1. Die Straße ist durch den Schneematsch so glatt, daß man nicht schneller als 30 km/h fahren kann. 2. Die Kurve ist so unübersichtlich, daß man nicht erkennen kann, ob ein Fahrzeug entgegenkommt. 3. Der Autofahrer fuhr so schnell, daß er nicht mehr rechtzeitig bremsen konnte. 4. Die Scheiben des Wagens waren so verschmiert, daß er nicht mehr gut genug sehen konnte. 5. Er war bereits so müde, daß er die Autobahn verlassen wollte. 6. Er war zu erschöpft, um noch lange nach einem guten Hotel suchen zu können. 7. Es war zu spät für ein warmes Essen in dem kleinen Gasthaus, wo er abgestiegen war. 8. Es war bereits zu dunkel für einen Spaziergang durch den Ort.

Vervollständigen Sie die Sätze und drücken Sie aus, daß Sie etwas für möglich halten. Verwenden Sie dabei den Konj. II:

1. Der Brief wurde gestern abgeschickt, er . . . 2. Herr Müller war heute nicht im Büro, er . . . 3. Die Temperaturen fallen wieder, . . . 4. Ich halte dieses Projekt für sehr kompliziert, . . . 5. Der Stadtrat hat den Bau des Schwimmbads schon genehmigt, . . .

F) Ausdruck der Möglichkeit, des Zweifels, der Hypothese im Konj. II

Es ist schon 16^{00} Uhr. Tante Klara *könnte* gleich hier sein.
oft mit
Modalverb

Drücken Sie Folgendes höflicher aus und verwenden Sie dabei den Konj. II:

Beispiel: Tür zu! Könnten Sie bitte die Türe schließen?
Würde es Ihnen etwas ausmachen, die Tür zu schließen?

1. Ruhe! 2. Aufmachen! 3. Platz machen! 4. Fenster zu! 5. Anhalten! 6. Gib mir das Salz! 7. Hol noch einen Teller! 8. Wie komme ich zum Bahnhof? 9. Wann beginnt der nächste Kurs? 10. Achtung!

Heben Sie hervor, daß etwas sicher ist. Verwenden Sie für den Hauptsatz Aus- **15**
drücke wie:

a) Es gibt kein . . .
b) Ich kenne kein . . .
c) Es ist undenkbar, daß . . . gibt, . . .
d) Es ist unmöglich, . . .
e) Es ist nicht anzunehmen, daß . . .

Beispiel: Jedem hat dieser Kuchen bisher geschmeckt.
       Ich kenne keinen, dem dieser Kuchen bisher *nicht* geschmeckt *hätte.*

1. Er macht jeder Frau Komplimente. 2. Alle Beteiligten waren mit dem Ausgang der Sitzung zufrieden. 3. Jeder wollte der Gastgeberin nochmal danken. 4. Alle finden seine Vorschläge ausgezeichnet. 5. Anna saß diese Woche jeden Abend allein zu Haus. 6. Jeden Tag haben sich die Kinder gestritten. 7. Dieser Kursteilnehmer hat schon alle Übungen im Buch gemacht.

Lesetext 2

Stationschef Fallmerayer

Adam Fallmerayer heiratete, kurz nachdem er seinen Posten auf der Station L. an der Südbahn, kaum zwei Stunden von Wien entfernt, angetreten hatte, die brave und ein wenig beschränkte, nicht mehr ganz junge Tochter eines Kanzleirats aus Brünn. Es war eine „Liebesehe" – wie man es zu jener Zeit nannte, in der die sogenannten „Vernunft-Ehen" noch Sitte und Herkommen waren. Seine Eltern 5 waren tot. Fallmerayer folgte, als er heiratete, immerhin einem sehr maßvollen

Zuge seines maßvollen Herzens, keineswegs dem Diktat seiner Vernunft. Er zeugte zwei Kinder – Mädchen und Zwillinge. Er hatte einen Sohn erwartet. Es lag in seiner Natur begründet, einen Sohn zu erwarten und die gleichzeitige Ankunft
10 zweier Mädchen als eine peinliche Überraschung, wenn nicht als eine Bosheit Gottes anzusehen. Da er aber materiell gesichert und pensionsberechtigt war, gewöhnte er sich, kaum waren drei Monate seit der Geburt verflossen, an die Freigebigkeit der Natur, und er begann, seine Kinder zu lieben. Zu lieben: das heißt: sie mit der überlieferten bürgerlichen Gewissenhaftigkeit eines Vaters und
15 braven Beamten zu versorgen.

aus: „Die Erzählungen" von Joseph Roth (c) 1973 by Allert de Lange Amsterdam und Verlag Kiepenheuer & Witsch Köln.

Übungen

16 Erklären Sie folgende Wörter und Wendungen nach der Bedeutung, die sie im Text haben:

1. ein wenig beschränkt (Z. 3) 2. das Diktat der Vernunft (Z. 7) 3. Zwillinge (Z. 8) 4. Er war materiell gesichert (Z. 11) 5. pensionsberechtigt (Z. 11) 6. die Gewissenhaftigkeit (Z. 14)

17 Suchen Sie Synonyme zu folgenden Wörtern nach der Bedeutung, die sie im Text haben:

1. der Posten (Z. 1) 2. keineswegs (Z. 7) 3. es ansehen als (Z. 10f) 4. verflossen (Z. 12) 5. die Freigebigkeit (Z. 14)

18 Formen Sie folgende nominale Wendungen in verbale um und umgekehrt:

Beispiel: a) die Frage des Herrn   a) Der Herr fragt etwas.
Der Herr stellt eine Frage.
b) Er prüft den Schüler.   b) die Prüfung des Schülers
Die Dame antwortet.   die Antwort der Dame

1. Adam Fallmerayer heiratet. 2. die Ankunft zweier Mädchen 3. die Freigebigkeit der Natur 4. Er gewöhnte sich an die Mädchen. 5. Der Vater versorgte die Kinder.

19 Beantworten Sie folgende Fragen zum Text mit eigenen Worten:

1. Wie wird die Frau Fallmerayers beschrieben?
2. Was heißt es, wenn gesagt wird, daß der Stationschef „einem maßvollen Zuge seines maßvollen Herzens" gefolgt sei?
3. Weshalb war für Fallmerayer die Geburt der beiden Mädchen eine peinliche Überraschung?
4. Was tut er wohl, wenn er die Kinder mit der „überlieferten bürgerlichen Gewissenhaftigkeit eines Vaters und Beamten" versorgt?
5. Was kann oder sollte ein Vater noch für seine Kinder tun?

Kapitel 10

Lesetext 1

Meldezettel, Englischer Garten und Rumfordsuppe

Die Wiedereinführung des Meldezettels läßt an einen Amerikaner denken, der
München im Jahre 1788 das erste Meldeformular bescherte. Er stammte aus Mas-
sachusetts und lebte nach dem Unabhängigkeitskrieg in England. „Zur Erfor-
schung des Kontinents" erbat er sich vom König Urlaub, was ihm bewilligt wurde.
Außerdem erhielt er „zwecks besseren Auftretens" den Rittertitel. Als nun Sir 5
Benjamin Thompson 1784 nach München kam, gefiel es ihm da so gut, daß er
blieb, Deutsch lernte und vier Jahre lang Münchener „Zustände" studierte.

Das Rumford-Schlößl im Englischen Garten in München

Selbige waren haarsträubend, doch war er kühn genug, dem Kurfürsten Carl
Theodor ein rücksichtslos-kritisches Memorandum samt Verbesserungsvorschlä-
10 gen einzureichen – worauf er sich zum Staatsrat, Kriegs- und Polizeiminister mit
unbeschränkten Vollmachten ernannt sah. Und war er schon zuvor so gut wie
allen Höflingen und Ratsherren auf die Nerven gefallen, empörten sich jetzt die
Münchener Bürger über die Plackerei mit dem Meldezettel. Wer länger als drei
Tage privat logierte, hatte sich zu melden. Anzugeben waren: Name, Stand, Beruf,
15 Geburtsort, Familienstand, Reisegesellschaft, Einkünfte, Zeit des Aufenthalts, das
Woher und Wohin, Wohnung, Personen, die weitere Auskünfte geben konnten. Bei
Ablieferung des Zettels gab's eine „Aufenthaltskarte". Fremde, die in Gasthöfen
logierten, hatten sich nach 14 Tagen zu melden, auf Nichtbeachtung stand sofortige Ausweisung.
20 Bald aber sahen die Münchner „ihren" Thompson als Wohltäter der Stadt. Seine
größte Tat war zweifellos die Anlage des Englischen Gartens. Zwar verschlang sie
Riesensummen, doch wurden diese von Carl Theodor seelenruhig aus der Kriegskasse bezahlt, da ja „Bayern keine Feinde hatte". Von den weiteren Taten Thomp-
sons seien hier erwähnt: die Befreiung Münchens von einer unvorstellbaren Bett-
25 lerplage – waren doch über 6200 bei damals rund 60 000 Einwohnern täglich auf
den Straßen – und ein „Arbeitshaus", in dem die Mehrzahl der Bettler Arbeit und
warmes Essen fanden. Für letzteres wiederum hatte der Unermüdliche, den der
Kurfürst inzwischen zum Grafen Rumford ernannt hatte, eine Suppe erfunden, mit
der er gleichzeitig die von ihm eingeführte Kartoffel nutzen wollte.
30 Mit dieser Suppe, der „Rumfordsuppe", errang er eine Popularität, die sich bis in
unsere Tage zieht. Das Originalrezept kennen nur wenige. Hier ist es:
„Gerstengraupen werden im Kessel zum Kochen gebracht. Dann wird die gleiche
Menge Erbsen dazugetan. Zwei Stunden lang über mäßigem Feuer. Dann kommen
gekochte, geschälte Kartoffeln hinzu und das Kochen wird fortgesetzt. Fleißig
35 rühren und die Suppe zu Brei machen. Beim Auftragen werden Weinessig oder
sauer gewordenes Bier, Salz und Brotschnitten dazugetan." – Etwas spartanisch?
Eben, das ist es ja.

Gekürzt und geändert nach einem Artikel von Anton Sailer, Süddeutsche Zeitung, 9. 11. 78, S. 17.

Wortschatz

Zeile	Neuer Ausdruck Beispiel, bzw. etwas zur Wortfamilie	Erklärung des neuen Ausdrucks Erklärung des Beispiels
1	der Meldezettel	das Meldeformular
3	der Unabhängigkeitskrieg	der amerikanische Unabhängigkeits- krieg gegen England 1776–1781
5	das Auftreten Ich bewundere sein sicheres Auftreten. Er trat als Hamlet auf. Beim Auftreten von Sehstörungen muß die Behandlung abgebrochen werden.	das Benehmen, Verhalten; das Er- scheinen Er spielte den Hamlet. Wenn es zu Sehstörungen kommt, muß ...
5	der Rittertitel der Ritter reiten	Krieger zu Pferd; später Adelsgrad
8	selbige	dieselben
8	haarsträubend	schrecklich, unbeschreiblich, entsetz- lich, grauenhaft
8	kühn	mutig
9	das Memorandum	Denkschrift; eine Schrift, mit der auf et- was aufmerksam gemacht werden soll.
9	samt	zusammen mit
12	der Höfling	Mitglied der Gesellschaft bei Hofe
12	sich empören über empört sein über	sich entrüsten über; entsetzt sein, sich aufregen über
14	logieren	wohnen
14	der Stand	soziale, gesellschaftliche Stellung
15	die Einkünfte (Pl)	die Einnahmen; der Verdienst
19	die Ausweisung Er wurde aus dem Land ausgewiesen. Sie sollte sich ausweisen.	Die Behörden haben ihn gezwungen, das Land zu verlassen. Z. B. mit ihrem Ausweis oder Paß zeigen, wer sie ist.
21	verschlingen Der Löwe verschlang das Fleisch. Sie hat den Roman verschlungen. Der Bau des Hauses verschlingt viel Geld.	Sie las den Roman sehr schnell, weil er so gut, spannend war.
22	seelenruhig	ohne sich aus der Ruhe bringen zu lassen.
30	erringen	erkämpfen, durch große Anstrengung er- reichen; zu etw. gelangen; gewinnen

32	Gerstengraupen	Die Körner der Gerste (einer Getreideart). ohne Schale
32	der Kessel	großer Topf
36	spartanisch	sehr einfach; anspruchslos
	eine spartanische Lebensweise	so einfach leben, wie etwa die Spartaner früher, die die jungen Leute streng und enthaltsam erzogen haben

Übungen

1 Erklären Sie folgende Wörter und Wendungen:

1. Die Wiedereinführung des Meldezettels läßt an Rumford denken. (Z. 1) 2. Ihm wurde der Urlaub bewilligt. (Z. 4) 3. „Zwecks besseren Auftretens" (Z. 5) 4. Er sah sich darauf zum Staatsrat ernannt. (Z. 10f) 5. Er hatte unbeschränkte Vollmachten. (Z 11) 6. Er war so gut wie allen Höflingen und Ratsherren auf die Nerven gefallen. (Z. 11f) 7. Auf Nichtbeachtung der neuen Meldepflicht stand sofortige Ausweisung. (Z. 18f) 8. Sie sahen in ihm den Wohltäter der Stadt. (Z. 20) 9. Die Befreiung Münchens von einer unvorstellbaren Bettlerplage. (Z. 24f) 10. Rumford war unermüdlich; er erfand sogar eine Suppe. (Z. 22f) 11. Mit ihr errang er eine Popularität, die sich bis in unsere Tage zieht. (Z. 30f)

2 Fragen zum Inhalt des Textes:

1. Wer war Graf Rumford? Woher stammte er?
2. Warum blieb er in München?
3. Mit welchen Ämtern wurde er dort betraut? Wie kam er zu diesen Posten?
4. Wie reagierte die Bevölkerung auf das neue Meldesystem? Was mußte alles auf dem Formular angegeben werden?
5. Welche Verdienste hat sich Rumford in München erworben?
6. Warum hat Rumford eine Suppe erfunden? Wie finden Sie das Suppenrezept?

3 Erklären Sie folgende Redewendungen, indem Sie die Sätze vervollständigen:

1. Die Zustände in München waren damals haarsträubend.
   .... unvorstellbar, wie .... waren.
2. Er schoß mit dem Fußball haarscharf daneben.
   .... hätte er ein Tor ....
3. Sie erzählte ihrer Freundin haarklein die Geschichte.
   Sie erzählte ihr ganz ...., wie ....
4. Er findet immer ein Haar in der Suppe.
   Er hat immer .... etwas ....
5. Seine Argumente waren an den Haaren herbeigezogen.
   Seine Argumente waren nicht sehr ...., weil .... hergeholt waren.
6. Sie ließ kein gutes Haar an ihm.
   Sie sprach ....

Schreiben Sie noch andere Ausdrücke, Redewendungen oder Sprichwörter mit **4**
dem Wort „Haar-" auf wie in Übung 3 und erklären Sie sie.

Beantworten Sie folgende Fragen zur Thematik des Textes ausführlich: **5**

1. Warum kam ausgerechnet Rumford, ein Ausländer, auf so viele Verbesserungsvorschläge?
2. Gibt es in Ihrem Land eine polizeiliche Meldepflicht?
3. Warum besteht in der Bundesrepublik Deutschland Meldepflicht?
4. Warum ist das Anlegen eines großen Parks meist eine so kostspielige Angele-
   genheit? Beschreiben Sie solche großen Parkanlagen und zählen Sie auf, was
   man dort z.B. alles sieht und tun kann! Welche Rolle spielen Grünanlagen in der
   modernen Großstadt?
5. Der Englische Garten wurde aus der bayerischen Kriegskasse finanziert. Wäre
   heute Ähnliches möglich?
6. Weshalb gab es wohl damals so viele Bettler in München? Was für Arbeiten
   haben die im „Arbeitshaus" Wohnenden gemacht? Arbeitslosigkeit ist auch
   heute in vielen Ländern ein Problem; wie versucht man damit fertig zu werden?
7. Kennen Sie andere Rezepte für Suppen, die nicht besonders teuer sind aber
   doch gut schmecken? Beschreiben Sie genau, wie man so eine Suppe zube-
   reitet!

Erklären Sie den Unterschied zwischen: **6**

1. der Bettler. 2. der Vertreter. 3. der Hausierer. 4. der Schnorrer. 5. der Landstrei-
cher. 6. der Gammler. 7. der Penner. 8. der Wermutbruder. 9. der Asoziale

Zur Grammatik

7 Zeile 32 ff:

Formen Sie das Kochrezept unter Verwendung der Ausdrücke am Rand (in der richtigen Form) um, und verwenden Sie dabei den Konjunktiv I.

Gerstengraupen werden im Kessel zum Kochen gebracht.	man
Dann wird die gleiche Menge Erbsen dazugetan. Zwei Stun-	dazuschütten
den lang über mäßigem Feuer. Dann kommen gekochte, ge-	kochen; hinzufügen
schälte Kartoffeln hinzu und das Kochen wird fortgesetzt.	
Fleißig rühren und die Suppe zu Brei machen. Beim Auftra-	weiter rühren; so
gen werden Weinessig oder sauer gewordenes Bier, Salz und	lange; breiig
Brotschnitten dazugetan.	auftragen; salzen;
z. B. Man bringe Gerstengraupen im Kessel zum Kochen ...	dazugeben

Konjunktiv I

Gegenwart: **Präs. stamm + Konj. endung:**   -e   -en
                  bring − e   -est   -et
                           -e   -en

Gebrauch:

A) **Aufforderung, Anweisung** (meist für 3. Pers. Sg. und Pl. und 1. Pers. Pl.)
    Verwendungsmöglichkeiten:
    I)   *Kochrezepte* (s. o.)
    II) *Verordnungen zur Einnahme von Medikamenten etc.*
        Man nehme täglich drei Tabletten, jeweils nach dem Essen.
    III) *Betriebsanleitungen, Gebrauchsanweisungen* u. ä.
        Man schließe die Klappe und stelle den Einschalthebel auf „Start".
    IV) *Imperativ für 1. Pers. Pl. und 3. Pers.Pl.* (der formellen Anrede)
        Lassen wir doch dieses Thema! Gehen wir jetzt! Schließen Sie das Fenster!

B) **Wunsch** (man hofft auf seine Erfüllung; oft mit Modalverben)
    Es lebe das Geburtstagskind! Mögest du glücklich werden!

C) **In Konzessivsätzen** (oft mit „mögen")
    Was auch geschehe, du kannst dich auf mich verlassen.
    Es möge auch noch so schwierig werden, wir halten durch.
    (oft auch mit Indikativ: Mag es auch noch so schwierig werden, wir halten durch.)

D) **In Finalsätzen mit „damit"** (um auszudrücken, daß man etwas verhindern oder ermöglichen möchte.)
    Er gab ihr seinen Mantel, damit sie nicht friere.
    Er bot seiner Frau an, den Babysitter zu bezahlen, damit sie mal wieder in Ruhe einkaufen gehen könne.

E) In der Indirekten Rede

Der Beamte sagte zu dem Jungen:
„Dort liegt das Meldeformular, du
mußt es ausfüllen."

Der Beamte sagte zu dem Jungen,
daß dort das Meldeformular *liege, er
müsse* es ausfüllen.

	Formen:	
a) daß – Nebensatz	ich käme	Konj II
b) Hauptsatz	du *kommest*	Konj I
	er *komme*	Konj I
	wir kämen	Konj II
	ihr *kommet*	Konj I
	sie kämen	Konj II

Der Junge fragte ihn:
„Was muß *ich hier* ausfüllen?
Kommt da *meine* Unterschrift hin?"
Der Junge fragte ihn,
was *er da* ausfüllen *müsse, und ob*
da *seine* Unterschrift *hinkomme.*

Direkte Frage
Indirekte Frage: 1. Er / Sie } fragt(e),
2. Nebensatz
3. ohne Fragepron: ob
4. mehrere Fragen: und

Der Beamte sagte zu ihm:
„*Nimm* diesen Abschnitt *mit!"*
Der Beamte sagte zu ihm,
daß er diesen Abschnitt mitnehmen
solle.

Angaben } *Pronomen* } können sich ändern

Imperativ
Imperativersatz: Subj + { a) sollen / b) müssen / c) mögen } + Inf

Der Junge fragte: „Was *sagten*
Sie?"
Er fragte, was der Beamte *gesagt
habe.*

Vergangenheit: habe / sei } + { Part. Perf. HV / Inf. HV + Inf.MV

„Wieviele Leute stehen noch vor der
Tür?"

Er fragte seine Kollegin,
wieviele Leute noch vor der Tür
stünden.

Wenn Konj I ≙ Indikativ Präs. (s. o.!)
→   Konj II (1. Sg + Pl, 3. Pl)
Ausnahme: MV; „wissen": 1. Sg
„sein": 1. Sg, Pl; 3. Pl

Sie antwortete: „15 Personen"
Sie antwortete, *es seien* 15 Personen.

Indir. Rede: immer mit Verb

Aus der Zeitung:

8

Strand in der Nähe von Andorf gestohlen
Gestern Nacht wurde an einem Badesee der Sandstrand auf einer Länge von
75 Metern in einen Steinstrand verwandelt. Mit 30 bis 40 Lastwagenfuhren haben
Unbekannte den gesamten Sand weggefahren, so daß der vorher vielbenutzte
Strand jetzt nicht mehr zum Baden geeignet ist.
a) Setzen Sie den Text in die Indir. Rede: In der Zeitung stand, der Strand in der
   Nähe von Andorf ...

b) Schreiben Sie den Text frei weiter (benutzen Sie dabei wieder die Indir. Rede):
   Die Polizei vermutet, daß ...

9 a) Bilden Sie die Indir. Rede,
   b) Formen Sie die Sätze um:

Beispiel: Er fragte sie: „Wie groß ist Ihr Zimmer?"
         a) Er fragte sie, wie groß ihr Zimmer sei.
         b) Er erkundigte sich nach der Größe ihres Zimmers.

1. Der Arzt fragt den Laboranten: „Was ergab die Prüfung des Blutbildes?"
   a) Er fragte ihn, ...
   b) Er erkundigte sich nach ....
2. Er sagte zu ihr: „Sie verschwenden damit Ihre Zeit!"
   a) Er sagte zu ihr, daß ....
   b) Er hielt es ....
3. Der Verkäufer sagte zu dem Kunden: „Berühren Sie die Ware nicht, sie ist
   zerbrechlich!"
   a) Er sagte zu ihm, ...
   b) Er verbot ihm das .... und wies .... hin.
4. Sie fragte ihn: „Wie lange bleiben Sie voraussichtlich in München?"
   a) Sie fragte ihn, ...
   b) Sie erkundigte sich bei ihm nach ....
5. Die Eltern sagten zu dem Kind: „Du darfst ins Kino gehen."
   a) Sie sagten zu ihm, ...
   b) Sie gaben dem Kind ....
6. Er fragte den Bibliothekar: „Kann ich das Buch noch zwei Wochen länger aus-
   leihen?"
   a) Er fragte ihn, ...
   b) Er bat den Bibliothekar um ....

Lesetext 2

Auch Goethe hat zu viel gegessen ...

Es heißt, die große Freßwelle sei über uns gekommen. Ob es wirklich so ist, mag dahingestellt bleiben. Immerhin spricht einiges dafür. Zum Beispiel die Fülle neuer Kochbücher, in denen es keineswegs mehr um das Ideal des Schlankwerdens geht. Dann die immer raffinierteren, in Illustrierten und Zeitungen dargebotenen Kochrezepte. Und nicht zuletzt die deutlich zunehmende Beliebtheit sogenannter 5 Arbeitsessen in Gasthäusern der gehobenen Preisklasse. Aber grundsätzlich neu ist es nicht. Zu allen Zeiten gab es Menschen, die Freude, ja allzuviel Freude daran hatten und infolgedessen immer zuviel gegessen haben, ohne Rücksicht auf Figur, Gesundheit und Ansehen.

,,Er frißt entsetzlich!" schrieb Jean Paul[1] nach einem Besuch bei Goethe[2] im Jahre 10 1796. Auch andere Zeitgenossen des ,,Gottes" zu Weimar[3] zeigten sich erstaunt über die ungeheuren Mengen Gänsebraten, die seine Exzellenz vertilgen konnte, und über die Forellen zum Zehn-Uhr-Frühstück. Kein Wunder, daß Goethe, der zu allen Zeiten gut und gerne aß und schon im ,,Götz"[4] gesagt hatte, ,,Wenn ihr gegessen und getrunken habt, seid Ihr wie neugeboren; seid stärker, mutiger, 15 geschickter . . .", bald nicht mehr wie ein Gott aussah, sondern bedenklich ,,stärker" wurde:

,,Sein Gang ist überaus langsam, sein Bauch nach unten zu hervorstehend wie der einer hochschwangeren Frau, sein Kinn ganz an den Hals herangezogen . . ., seine Backen dick, sein Mund in halber Mondsform . . ., sein ganzer Ausdruck eine Art 20 von selbstzufriedener Gleichgültigkeit." So beschrieb Karl von Stein ihn, ein Sohn von Goethes geliebter Charlotte[5], und fügte über den Mittfünfziger hinzu: ,,Es dauert mich, der schöne Mann, der so edel in dem Ausdruck seines Körpers war."

,,Mit Kunst arrangierte Speisen, Krebse, Zunge und so weiter"

„Vom Konditor schön geformte Kuchen"

25 Erst später, nachdem das viele Essen, von dem auch Charlotte berichtete, die
abendlichen Diners mit reichlichem Nachtisch an „vom Konditor schön geformten
Kuchen", die kalten Büffets – „mit Kunst arrangierte Speisen, Krebse, Zunge und
so weiter" –, die zeitweise allwöchentlichen ausgedehnten Picknicks, die er veran-
staltete, und das viele Weintrinken bei seiner vorwiegend sitzenden Lebensweise
30 zu mancherlei Störungen und Krankheiten geführt hatten, wurde Goethe wieder
schlanker.

Gekürzt und geändert aus „Die Zeit" vom 1. 2. 1974.

1. Jean Paul (1763–1825), deutscher Dichter
2. Johann Wolfgang von Goethe (1749–1832), berühmtester deutscher Dichter
3. Goethe lebte von 1775–1832 in Weimar
4. „Götz von Berlichingen mit der eisernen Hand", ein Drama Goethes aus der Zeit des „Sturm und Drang"
5. Charlotte von Stein, eine gute Freundin Goethes.

Übungen

Erklären Sie folgende Wörter und Wendungen nach ihrer Bedeutung im Text: **10**

1. Freßwelle (Z. 1) 2. es mag dahingestellt bleiben (Z. 1 f) 3. Immerhin spricht einiges dafür (Z. 2) 4. sogenannte Arbeitsessen (Z. 5 f) 5. infolgedessen (Z. 8) 6. vertilgen (Z. 12)

Formen Sie folgende Textstellen mit den angegebenen Wörtern um: **11**

1. „Er frißt entsetzlich!" schrieb Jean Paul (Z 10)
   Jean Paul schrieb, daß . . . .
2. „Wenn ihr gegessen und getrunken habt, seid ihr wie neugeboren." (Z 14 f)
   a) Goethe sagt im „Götz", wenn man . . . .
   b) Nach einer ausgiebigen . . . . fühle man . . . . Mensch.
3. Karl von Stein schrieb: „Es dauert mich, der schöne Mann, der so edel in dem Ausdruck seines Körpers war." (Z 22 ff)
   a) Karl von Stein schrieb, ...
   . . . .
   b) Karl von Stein tat es . . . ., daß sich der schöne Mann, früher von so . . . .
   Äußern, so sehr . . . .
   c) Karl von Stein fand die Ver. . . . . d. . . schön. . . Mann. . ., sei . . . .
   Äußern . . . .

Beantworten Sie ausführlich folgende Fragen mit eigenen Worten: **12**

1. Welche drei Beispiele sind im Text dafür zu finden, daß „die große Freßwelle" über uns gekommen ist?
2. Wird tatsächlich erst in letzter Zeit so viel gegessen?
3. Was geschieht mit „Figur, Gesundheit und Ansehen", wenn man unbekümmert viel und reichlich ißt?
4. Fühlt man sich in jedem Fall nach einer Mahlzeit „wie neugeboren", „stärker, mutiger, geschickter"?
5. Geben Sie mit eigenen Worten wieder, wie Karl von Stein Goethe beschreibt.
6. Was führte dazu, daß Goethe so dick geworden war?
7. Warum nahm Goethe später wieder ab?
8. Was für Schlankheitskuren kennen Sie? Was kann man neben einer vernünftigen Ernährungsweise tun, um ein normales Körpergewicht zu erhalten?

Kurzinformation über die Autoren

Johannes Bobrowski
geb. 1917 in Tilsit, gest. 1965 in Berlin.
Bobrowski schreibt hauptsächlich Gedichte um seine verlorene Heimat, das Land Sarmatien, zwischen Weichsel und Wolga. Die damit verbundenen Gefühle beschreibt er nicht einfach nur, sondern er setzt sie in Bilder oder Andeutungen um. Auch in den Erzählungen und den beiden Romanen umkreist Bobrowski das Leben der Menschen im Memelland.
Werke: Sarmatische Zeit (Gedichte); Schattenland Ströme (Gedichte); Levins Mühle; Litauische Claviere

Bertolt Brecht
geb. 1898 in Augsburg; gest. 1956 in Berlin.
Ab 1933 lebt Brecht im Exil, zuerst in der Schweiz und dann in Frankreich, 1941 übersiedelt er in die U.S.A. und kehrt erst 1947 nach Europa zurück und lebt dann in Ostberlin.
Brecht kommt vom Expressionismus her, wendet sich aber dann davon ab. Er findet neue Möglichkeiten für die Bühne durch das „epische Theater". Durch entsprechende Mittel, wie Chor, Erzähler, Nachrichtensprecher, Spruchbänder auf der Bühne, Projektionen und andere Verfremdungseffekte wird dem Zuschauer immer wieder bewußt gemacht, daß er im Theater sitzt und aus kritischer Distanz heraus abwägen und mitdenken soll. Die dramatische Illusion des klassischen Theaters wird aufgehoben.
Werke: Trommeln in der Nacht; Die Dreigroschenoper; Leben des Galilei; Mutter Courage und ihre Kinder; Der gute Mensch von Sezuan; Herr Puntila und sein Knecht Matti; Der kaukasische Kreidekreis; Die Hauspostille

Theodor Fontane
geb. 1819 in Neuruppin in der Mark Brandenburg (nordwestlich von Berlin); gest. 1898 in Berlin.
Fontane war als Apotheker in Berlin tätig, später war er als Zeitungsberichterstatter unterwegs. Erst im Alter entstanden seine bedeutenden Romane, in denen er die Veränderungen in der Gesellschaft der Gründerjahre beschreibt: die sich anbahnenden Wandlungen in den Gesetzen von Tradition, Konvention und in der Rolle der Frau.
Werke: Grete Minde; Frau Jenny Treibel; Effi Briest; Der Stechlin

Sigmund Freud
geb. 1856 in Freiberg (Mähren, Österreich-Ungarn); gest. 1939 in London.
Freud war in Wien als Arzt tätig und ist der Begründer der Psychoanalyse. Seine besondere Bedeutung liegt darin, daß er die Rolle des Unterbewußten erkannte. Zur Behandlung seiner Patienten gehörte, daß er die Zusammenhänge zwischen

ihren seelischen Störungen und früheren traumatischen Erfahrungen aufdecken ließ. Seine besondere Therapieform basierte auf freier Assoziation, Traumdeutung und Bewußtmachung von Verdrängungsmechanismen.

Werke: Studien über Hysterie; Darstellungen der Psychoanalyse; Abriß der Psychoanalyse; Über Träume und Traumdeutungen

Golo Mann
geb. 1909 in München als Sohn von Thomas Mann.

Golo Mann ist ein bedeutender Historiker und Publizist. Neben seiner Tätigkeit als Universitätsprofessor (Olivet College, Michigan; Claremont Men's College, Kalifornien; Technische Hochschule, Stuttgart) ist er Herausgeber und Mitarbeiter der Propyläen-Weltgeschichte.

Werke: Deutsche Geschichte des 19. und 20. Jahrhunderts; Propyläen-Weltgeschichte, 10 Bände; Wallenstein

Thomas Mann
geb. 1875 in Lübeck; gest. 1955 in Kilchberg bei Zürich.

Thomas Mann entstammt einer Kaufmannsfamilie aus Norddeutschland. Von 1891 bis 1933 lebte er in München als Schriftsteller, heiratete 1905 Katja Pringsheim. Nach Hitlers Machtergreifung lebte er in der Emigration, in Frankreich, der Schweiz und ab 1938 in den U.S.A. 1952 kehrte er wieder nach Europa zurück und wohnte bei Zürich in der Schweiz.

In Thomas Manns Romanen und Erzählungen dringt unter ihren präzisen, realistischen „Geschichten" eine Unmenge von Verbindungen, Anspielungen, Auseinandersetzungen mit Kulturgeschichtlichem durch. Eines seiner zentralen Themen ist „der intellektuelle Künstler", „der gebildete Mensch" und seine Zwiespältigkeit.

Werke: Buddenbrooks; Tristan; Tonio Kröger; Der Tod in Venedig; Zauberberg; Joseph und seine Brüder; Lotte in Weimar; Doktor Faustus

Alexander Mitscherlich
geb. 1908 in München.

Ab 1952 war Mitscherlich Professor in Heidelberg und dann 1967 Professor für Psychologie in Frankfurt, er ist dort auch Leiter des Sigmund-Freud-Instituts. Er entwickelte die Psychoanalyse im Sinne von Freud weiter. Mitscherlich beschäftigt sich weitgehend mit den soziologisch-psychologischen Bedingungen unserer Gesellschaft, wie etwa den Veränderungen im Rollenverhalten der einzelnen, ihrer „Anpassung" an die Umwelt und dem Entstehen von Aggressionen.

Werke: Auf dem Wege zur vaterlosen Gesellschaft; Krankheit als Konflikt; Studien zur psychosomatischen Medizin; Alexander und Margarete Mitscherlich: Die Unfähigkeit zu trauern; Die Idee des Friedens und die menschliche Aggressivität

Rainer Maria Rilke
geb. 1875 in Prag; gest. 1936 in Val Mont in der Schweiz.

Rilke unternimmt viele Reisen, die sein Werk beeinflussen: nach Italien, Rußland, Frankreich, Ägypten, Spanien. Impressionistische Eindrücke sammelt er während seines Aufenthalts im Umkreis der Künstlerkolonie Worpswede bei Bremen (1900–1902). Aus seiner Tätigkeit als Sekretär bei dem Bildhauer Rodin in Paris entstehen seine berühmten „Dinggedichte". Später hält er sich wiederholt auf Schloß Duino an der Adria auf. Die letzten Jahre verbringt er in Muzot in der Schweiz.

Rilkes Werk ist durch eine Eindringlichkeit gekennzeichnet, der man sich als Leser kaum entziehen kann; mit ungeheurer sprachlicher Intensität wird in seinen Gedichten das, was die Welt ausmacht, ergriffen, erfaßt und neu übermittelt.

Werke: Das Stundenbuch; Neue Gedichte; Der neuen Gedichte anderer Teil; Die Aufzeichnungen des Malte Laurids Brigge; Duineser Elegien; Sonette an Orpheus; Späte Gedichte

Joseph Roth
geb. 1894 in Schwabendorf in Galizien (Österreich-Ungarn); gest. 1939 in Paris. Joseph Roth hat Literaturgeschichte und Philosophie studiert, er war Journalist in Wien und Berlin, dann freier Schriftsteller in Frankfurt a. M. Im Dritten Reich emigrierte er nach Paris; er lebte dort einsam, verzweifelte, trank viel und starb ganz verarmt. Roths Figuren sind sehr stark von Vergangenem, Abgeschlossenem, Geschichtlichem (aus der Zeit der österreichisch-ungarischen Monarchie) getragen, und ihr Schicksal entwickelt sich meist tragisch.

Werke: Hotel Savoy; Hiob; Radetzkymarsch; Beichte eines Mörders; Die Kapuzinergruft; Der Leviathan

Arthur Schnitzler
geb. 1862 in Wien; gest. 1931 in Wien.
Schnitzler studiert Medizin und wird dann Facharzt für Nervenkrankheiten, was seine literarische Tätigkeit sehr beeinflußt. Seine Erzählungen und Dramen behandeln immer wieder neu die gleichen Themen: Die Einsamkeit des Geselligen; der Ernst des Spiels; die enttäuschende Wirklichkeit der Träume. Die Mutlosigkeit und das Aufgeben vieler seiner Figuren ist beunruhigend und erschreckend.

Werke: Reigen; Casanovas Heimfahrt; Das weite Land; Anatol; Leutnant Gustl; Professor Bernhardi; Fräulein Else; Spiel im Morgengrauen

Theodor Storm
geb. 1817 in Husum; gest. 1888 in Hademarschen in Schleswig-Holstein in Norddeutschland.
Nach seinem Jurastudium war Storm als Rechtsanwalt und Richter tätig. Er mußte aus politischen Gründen seine Heimat verlassen und lebte ab 1853 in Berlin, dann in Heiligenstadt. Erst 1864 konnte er wieder in seine Heimat zurückkehren.
In Storms Novellen sind die Naturbeschreibungen vielleicht deshalb so besonders eindrucksvoll, weil sie in engem Bezug zu den seelischen Vorgängen seiner Personen gesetzt sind. Beides wirkt aufeinander, und die Tragik der Beziehungen seiner Personen bekommt etwas unausweichlich Erschütterndes.

Werke: Immensee; Viola Tricolor; Pole Poppenspäler; Carsten Curator; Aquis submersus; Ein Fest auf Haderslevhuus; Der Schimmelreiter

Ludwig Thoma

geb. 1867 in Oberammergau; gest. 1921 in Rottach am Tegernsee in Bayern.
Zu vielen der Erzählungen, Anekdoten und Lustspiele wurde Ludwig Thoma während seiner Kindheit in Bayern und seiner späteren Tätigkeit als Rechtsanwalt
angeregt. Ab 1899 arbeitete er auch für die satirisch-zeitkritische Zeitschrift „Sim-
plicissimus". Thoma verfaßt als freier Schriftsteller humoristische Geschichten
über die Eigenarten der Bayern, über die Arroganz der Norddeutschen, mit häufig
scharfen Angriffen gegen die spießbürgerliche Intoleranz und veraltete Moralvor-
stellungen.

Werke: Lausbubengeschichten; Tante Frieda; Die Lokalbahn; Waldfrieden

Bildnachweis

Inge Hall: Seite 29, 46, 60, 61, 92, 105.
Kunstmuseum Bern: 18. Wallraf-Richartz-Museum, Köln: 19. aus: Joh. Rottenhöfer, Anweisung in der feineren Kochkunst, Rhenania Buchhandlung: 113, 114. aus: Gerhard-H. Sitzmann, Lernen für das Alter, Verlag Jos. C. Huber, Diessen: 12, 13.

9 8 7 6 5 4 3 2